Inch'Allah dimanche

Yamina Benguigui

Inch'Allah dimanche

ROMAN

Albin Michel

22, rue Huyghens, 75014 Paris

www.albin-michel.fr

ISBN 2-226-13048-9

Au lendemain de la Seconde Guerre mondiale, le gouvernement français assure son besoin de main-d'œuvre en recrutant massivement des Maghrébins, en particulier des Algériens. La loi ne leur permet pas de faire venir femmes et enfants : commence alors une migration d'hommes seuls. Pendant des décennies, ils vivent en transit, retournant au pays tous les deux ans.

1974. Le gouvernement français organise le regroupement familial qui autorise la venue des épouses et des enfants, afin de fixer cette main-d'œuvre dans le pays et de mettre un terme à toute nouvelle immigration.

Le départ

Zouina vient d'ouvrir les yeux. Elle sait qu'elle ne se rendormira pas. Le jour, d'ailleurs, n'est pas loin.

Elle se tourne vers les petits corps allongés près d'elle. Quelques larmes lui viennent aux paupières, en regardant Amina, sa fille, qui vient d'avoir dix ans, et qui dort à poings fermés, puis ses deux fils, Rachid, huit ans, et Ali, le petit dernier de six ans, qui bougent un peu leurs jambes, sous le drap. Ils doivent être en train de rêver.

Essuyant ses yeux d'un revers de main, Zouina se redresse, pose un pied nu par terre. Sans faire de bruit, comme si elle effleurait à peine le sol, elle se dirige vers la porte et sort dans la cour. Les premières lueurs de l'aube éclairent le décor dont elle connaît le moindre détail : le réchaud posé dans un coin, la corde à linge où traînent quelques épingles, le robinet, qu'elle n'arrive jamais à bien refermer, le jasmin qui grimpe sur la pergola, et, par-delà le mur, les cimes des pins qui se balancent au gré de la brise marine.

Ce robinet, non, jamais elle n'arrivera à le refermer. C'est son premier geste chaque matin, et elle le refait vingt fois par jour.

Zouina va vers le jasmin, plonge son visage dans les pétales blancs qu'elle respire avec avidité, avant d'en arracher une poignée qu'elle écrase dans sa main ; elle ne sait pas si c'est avec rage ou avec tendresse. Croyant entendre du bruit, Zouina retourne dans la chambre. Mais non, tout est calme, les enfants dorment toujours : c'est seulement au fond d'elle qu'un mauvais vent se lève.

Zouina s'assoit au bord du lit, en face des deux valises posées contre le mur, celles qu'elle va emporter aujourd'hui. Il lui semble qu'elles contiennent tout son avenir. Zouina les regarde, les fixe intensément. Quand on fixe l'avenir, c'est le passé qu'on voit, et la vie de Zouina, soudain, est tout entière au passé.

Dix ans, dix ans déjà, qu'on l'a mariée à Ahmed... Elle se souvient du jour où son père lui avait apporté une petite photo d'identité de l'homme à qui il l'avait promise. Elle se souvient surtout de sa gêne, de sa honte. Pourtant, elle avait fini par oser regarder la photo, du coin de l'œil, comme à la dérobée. Elle l'avait trouvé beau.

Juste après le mariage, Ahmed avait annoncé à Aïcha, sa mère, qu'il partait travailler en France. Tout le temps qu'il serait là-bas, Zouina retournerait l'attendre chez son père à elle, dans la maison où elle était née.

C'était une décision inhabituelle : la jeune femme aurait dû rester chez son mari, sous la surveillance de sa belle-mère ; tout le monde faisait comme ça.

Aïcha s'était contentée de fixer Zouina. Même le tatouage bleu qu'elle avait sur le front, entre les deux yeux, semblait la jauger, et elle avait haussé les épaules. Zouina s'était sentie soulagée, elle avait souri à son mari.

Le frère d'Ahmed, Slimane, était resté au pays, pour s'occuper d'Aïcha, et s'était installé chez elle, dans le centre d'Alger, avec sa femme,

Fatna. Aïcha était très satisfaite de Fatna, dont elle disait régulièrement, en hochant la tête à chaque mot, comme pour souligner ses propos :

– Toujours elle lave, toujours elle travaille, toujours elle m'obéit, et toujours elle baisse la tête ! *Ramdoullah !*... C'est une récompense de Dieu !

De Zouina, elle ne disait rien.

Ahmed était revenu au pays tous les deux ans, comme ils le faisaient tous. Amina était née, neuf mois après son premier retour.

– Pfft... Une fille..., avait commenté Aïcha, avec mépris, sans même regarder le bébé.

Puis elle avait craché dans la direction de Zouina, avant d'ajouter :

– Je lui avais dit, à mon fils : quand tu achètes pas cher, tu en as pour pas cher !

Les yeux noirs de Zouina s'étaient plantés au fond des prunelles d'Aïcha, qui avait fini par détourner la tête.

Deux ans après, Rachid était venu au monde.

– Il est beau comme mon fils ! s'était écriée Aïcha, sans un regard pour sa belle-fille.

Le troisième voyage d'Ahmed avait donné naissance à Ali, le petit dernier.

– Ah ! c'est bien parce que je suis bénie que Dieu ne m'a pas oubliée ! s'était félicitée Aïcha.

Un matin, le père de Zouina ne s'était pas réveillé. Il était mort dans son sommeil, laissant à Zouina le soin de ses plus jeunes sœurs et de sa mère.

Les enfants grandissaient, le visage d'Ahmed s'estompait au fil des jours dans le souvenir de Zouina, ne se ravivant qu'à peine à chacun de ses trois voyages. Le robinet continuait de fuir, les pins parasols d'agiter leurs cimes, le jasmin avait fini par recouvrir toute la pergola, et rien ne changeait dans la vie de Zouina.

Ce qu'elle aimait par-dessus tout, c'était le vendredi, le jour du hammam. Ce jour-là, parce qu'elle était mariée, elle avait le droit de mettre les chaussures blanches à talons, que son père lui avait achetées pour le mariage. Il lui avait mesuré le pied avec une ficelle, et comme ses mains tremblaient légèrement, il lui avait rapporté des chaussures un peu trop grandes pour elle. C'était l'un des quelques souvenirs qui faisaient sourire Zouina.

Il y avait d'abord les préparatifs de la sortie, les serviettes parfumées, le henné, dont elle et ses sœurs s'enduisaient les paumes des mains et la plante des pieds. Pendant qu'elle traversait le quartier, tout en surveillant ses sœurs du coin de l'œil, Zouina humait à pleins poumons l'air de la liberté. Il y avait même les moments d'émotion, lorsqu'elles croyaient entendre des voix masculines qui n'existaient que dans leurs têtes. Zouina réajustait alors vivement son foulard, comme pour mieux cacher ses cheveux, et toutes trois accéléraient le pas, les talons de Zouina réglant la marche. Elle adorait les entendre claquer.

Dans la chaleur moite du bain, abandonnée, presque heureuse, Zouina écoutait une vieille femme, au corps décharné, qui chantait des histoires d'amours contrariées, les mêmes depuis toujours. Parfois, la femme s'arrêtait de chanter, s'approchait du corps ferme de Zouina, tâtait un sein, et s'exclamait, en hochant tristement la tête :

– Ah ! Le butineur, il t'a laissée... Comme tous ceux qui sont partis de l'autre côté de la mer, il a été englouti par le pays des impies, il n'a plus arrosé ton jardin ! Plus une goutte... C'est péché ! Mais c'est ton destin ! C'est aussi mon destin !...

Elle se détournait et reprenait sa chanson, tandis que Zouina, dont les joues avaient rougi, adressait à ses sœurs un petit sourire gêné. Et puis elles se lavaient, et on entendait leurs éclats de rire qui se mêlaient aux éclaboussures du bain.

Jusqu'à ce jour d'avril qui resterait à jamais gravé dans sa mémoire. Aïcha avait fait irruption chez la mère de Zouina, tenant fermement dans sa main droite un transistor qu'Ahmed lui avait offert.

– Hum ! Ça sent un peu trop la liberté, ici !... avait-elle grogné en flairant l'atmosphère de cette maison forcément suspecte, puisqu'elle n'abritait que des femmes.

La mère de Zouina lui avait lancé un regard de défi.

– Les enfants, écoutez ! avait lâché Aïcha.

Et, en secouant énergiquement le poste, dans

un grand cliquetis de ses innombrables bracelets, elle avait ajouté :

– Votre père, il va parler !

Les enfants s'étaient installés autour d'elle, et avaient fixé le transistor en écarquillant leurs yeux étonnés.

Zouina s'était approchée, elle aussi. Sa mère et ses sœurs s'étaient figées de l'autre côté de la table, et, dans un silence tendu, Aïcha avait appuyé sur un bouton. Mais il ne s'était rien passé, aucune voix ne sortait du poste. Exaspérée, Aïcha avait répété plusieurs fois la manœuvre, toujours en vain. Rachid avait voulu appuyer, à son tour, ce qui lui avait valu de sévères remontrances sur son éducation, qui était entièrement à refaire. Cela dit avec un mauvais regard à Zouina. Rouge de colère, transpirant, impuissante, Aïcha s'y était reprise à dix fois, et on avait fini par entendre des bruits.

Malgré les crépitements de la cassette, les reniflements de Rachid, et le vacarme des bracelets d'Aïcha, dont les bras, comme toujours, moulinaient le vide, Zouina avait reconnu la voix d'Ahmed. Son ton était grave, solennel :

« Ma chère mère, cette année, je ne viens pas au pays... Il y a la nouvelle loi... C'est le regroupement de la famille... Le patron m'a dit que si je regroupe la famille, il me donnera la maison... Et ça y est ! Dans la maison, il y a le lavabo, le robinet du gaz, beaucoup de pièces... On peut mettre tout le monde dans la maison du patron... Alors, tu vas venir ici, et tu vas prendre avec toi les enfants et leur mère... Je te les confie... Tu devras les surveiller... »

A chacun de ces mots, Aïcha acquiesçait, en hochant la tête avec satisfaction, tout en épiant le visage fermé de Zouina et celui, de plus en plus inquiet, de sa mère.

« Je t'envoie l'argent du mois, comme d'habitude, et les billets du bateau..., poursuivait la voix. Ici, ça va... Un peu... Y a beaucoup de travail... Il pleut... Un peu... »

Puis la cassette grésillait et redevenait inaudible.

– Mais alors, tu vas aller là-bas, en France ? avait demandé la mère de Zouina, d'une voix tremblante.

Les enfants sautaient de joie, et frappaient

dans leurs mains. Sans un regard à Zouina, Aïcha s'était levée, brandissant toujours le transistor, et était sortie, laissant Zouina, sa mère et ses sœurs effondrées.

Zouina s'était retenue pour ne pas crier. Bateau, départ, France... Ces mots tournaient dans sa tête et la spirale qu'ils dessinaient était celle qui vous entraîne dans le vide. Plus elle fermait les yeux pour échapper à ce vertige, plus la nuit s'étendait en elle.

Elle avait tout fait pour retarder le départ, gagner une semaine, un jour. Mais voilà, les valises des enfants étaient prêtes, et elle avait rangé ses propres affaires – une robe blanche à broderies bleues, une jupe longue plissée, un deuxième foulard, son passeport, une photo en noir et blanc représentant sa mère et ses trois sœurs – dans un beau tissu de drap blanc, tout neuf, dont elle n'aurait plus qu'à nouer les quatre coins pour s'en faire un sac.

Zouina a respiré encore une fois, une dernière fois, l'odeur du jasmin sur ses paumes. Maintenant, elle serre les poings, jusqu'à enfoncer ses ongles dans sa chair. Elle n'a jamais quitté sa maison ; que vont devenir sa mère, ses sœurs ? Où est cette ville où elle doit s'exiler ? Ahmed prétend qu'il y pleut un peu.

Le jour qui se lève pénètre à travers le moucharabieh et vient éclairer le petit visage d'Amina. Elle est éveillée, elle aussi, et regarde sa mère, en souriant.

– C'est aujourd'hui, le bateau ? demande-t-elle.

Au même instant, la voiture de Slimane, le frère d'Ahmed, qui vient les chercher, s'arrête dans la cour. Zouina renvoie à sa fille un faible sourire, réveille les garçons, les aide à s'habiller, se prépare comme si elle allait au bain, passe un long gilet sur sa robe, enferme sa lourde chevelure brune dans le foulard blanc orné de feuilles rouges qu'elle a noué sous le cou, à la française, enfile ses chaussures blanches à talons. Ce matin, elle n'a aucune envie de les faire claquer : elles n'indiquent plus aucune direction.

Il est encore tôt quand la voiture poussive de Slimane, où Aïcha trône sur le siège avant, les dépose – valises et paquets – sur le quai d'embarquement. Zouina avance vers le bureau de la douane sans comprendre ce qui se passe autour d'elle. Ses pieds sont lourds, comme s'ils ne faisaient plus partie de son corps.

Elle sort de sa torpeur au moment où le douanier en uniforme noir assène un coup de tampon sur son passeport, et elle se retrouve debout, contre le bureau d'embarquement, les enfants accrochés à ses jupes, incapable de faire un pas en avant.

Aïcha la fait avancer d'un violent coup de valise sur les jambes. Aveuglée de soleil, pliée par la douleur du coup et celle qui lui tord le ventre, Zouina découvre l'immense bateau blanc qui barre l'horizon. Et c'est alors que lui parvient le cri qu'elle ne voulait pas entendre, cette voix de femme qui hurle :

– Zouina, Zouina ! Ne pars pas ! Reste, ma fille ! Je mourrai, si tu pars !

Zouina tourne brusquement la tête. Ce sont bien sa mère et ses deux sœurs qui sont là, écrasées contre la grille où se massent les parents et les amis venus dire un ultime au revoir aux passagers.

Échappant à Aïcha qui la pousse toujours, Zouina lâche les valises et, ne gardant dans ses bras que le sac de toile, se rue vers la grille. Elle se tord les bras entre les barres de fer pour essayer d'étreindre une dernière fois sa mère.

– Si tu pars, jamais tu reviendras ! La France, elle va te manger ! Personne ne revient ! gémit la mère de Zouina.

Aïcha pousse les enfants vers la passerelle d'embarquement tout en criant :

– Garde-la, ta fille ! Moi, je garde les enfants de mon fils !

La sirène du bateau qui déchire l'air glace un peu plus le cœur de la jeune femme. Ses enfants, qui refusent d'avancer sans elle, éclatent à leur tour en sanglots. Un douanier la saisit par le bras et la pousse violemment en avant.

Hébétée, avançant, reculant comme un automate devenu fou, elle reprend ses valises là où elle les avait abandonnées, monte lourdement deux ou trois marches, puis se retourne, encore une fois, une dernière fois, et pousse un hurlement de bête à l'agonie.

Inch'Allah dimanche

La dernière image qu'elle emporte au moment où elle s'engouffre dans le trou sombre de la cale est celle de sa mère qui vient de s'effondrer sur le sol.

L'arrivée

Deux jours de voyage, deux jours épuisants, durant lesquels Zouina n'a rien vu, rien regardé, et la voilà qui attend devant l'entrée d'une gare.

Tout ce qu'elle sait, c'est qu'il s'agit de la gare de Saint-Quentin, la ville où Ahmed vit depuis dix ans. Un de ses oncles lui a vaguement expliqué que c'était une ville du nord de la France. Ahmed ne lui a rien dit. Quant à Aïcha, elle s'est contentée de lui répéter que c'était là qu'elle allait apprendre à lui obéir... Aïcha a toujours su trouver les mots pour augmenter les angoisses et le chagrin de sa belle-fille. Pour l'heure, assise sur sa valise, elle l'observe, les lèvres pincées, le regard hostile. Elles attendent toutes les deux Ahmed. Zouina s'efforce de ne penser à rien, de faire le vide dans sa tête, et se concentre sur cette attente qui se prolonge.

Un coup de vent soudain oblige Zouina à resserrer le nœud de son foulard, et s'infiltre insidieusement sous sa jupe, qu'elle s'empresse de retenir de ses deux mains.

– Cache tes cuisses ! s'écrie aussitôt Aïcha. Ma parole, déjà la France elle te tourne la tête !

Zouina lâche les pans de sa jupe, et se bouche les oreilles. Combien de temps devra-t-elle encore entendre ce genre de choses ?

Déjà, dans l'obscurité de la cale du bateau, alors qu'elle était anéantie par la douleur de la séparation et l'image de sa mère effondrée sur le sol, Aïcha s'était chargée de lui rappeler pourquoi elle était là :

– Je vais te dresser ! Dix ans de liberté, ça suffit ! Tu dois être digne de mon fils !

Et elle lui avait arraché son passeport, qu'elle avait enfermé à clé dans sa valise. Zouina n'avait rien dit, mais elle avait compris que son destin allait prendre un tour particulièrement cruel.

Un coup de klaxon lui fait relever la tête. Une camionnette grise ralentit et s'arrête, de l'autre côté de la rue. Ahmed sort du véhicule et s'avance d'un pas rapide. Zouina baisse les yeux et, du coup, ce qu'elle voit de son mari, ce sont d'abord les chaussures noires aux bouts éculés. Le regard remonte ensuite lentement jusqu'au visage.

« Tiens, pense-t-elle seulement, je ne me souvenais pas qu'il avait une moustache. »

Pendant quelques instants, elle ne voit que cela, cette moustache. Ne pense rien au-delà de cette moustache. Aïcha, elle, s'est levée de sa valise aussi prestement que le lui permet sa corpulence, et s'est jetée sur son fils en poussant des cris de joie et des plaintes de louve amoureuse.

– *Ramdoullah !* Mon fils ! Tu es là ! Tu m'as tellement manqué !

Elle l'embrasse sur le front, sur les joues, sur les bras, le touche, le palpe, le serre contre elle, l'embrasse encore, l'étouffe contre elle, tandis que les enfants se ruent dans les jambes de leur père, qui les prend dans ses bras, l'un après l'autre, les embrasse, et les dépose à terre. Son costume noir un peu fripé, sa chemise blanche sans cravate, au col boutonné, lui donnent un air emprunté, ne facilitent pas ses gestes.

Il effectue un pas vers Zouina, gêné par sa proximité. Il la regarde furtivement, son regard balaye le front puis le bas du visage, en évitant les yeux. Il se résout à une accolade maladroite et le visage de Zouina frôle le tissu rugueux de sa veste.

– On touche pas ! hurle Aïcha.

Zouina s'écarte brusquement de son mari. Mais, pour une fois, ce n'est pas à elle que s'adresse sa belle-mère, mais au conducteur de la camionnette, un homme d'une cinquantaine d'années, grand et maigre, qui s'était jusque-là tenu à l'écart des retrouvailles, et qui voulait l'aider à porter sa valise.

– Laisse, *Yema*, c'est un ami. On l'appelle le Pologne, explique Ahmed, d'un ton rassurant.

– Le Pologne ! grommelle Aïcha en suivant avec des yeux effarés la trajectoire de sa valise qui échoue à l'arrière de la camionnette, avec les autres paquets.

Ahmed installe sa mère du mieux qu'il peut, à l'arrière, sur des caisses vides, et, à côté d'elle, les trois enfants. Zouina monte la dernière, se fait une place entre les valises et les paquets, nez à nez avec sa belle-mère. Par la lucarne de la camionnette, elle aperçoit la gare derrière elle. C'était la dernière étape du voyage, qui l'éloigne encore un peu plus de l'Algérie.

Des larmes silencieuses roulent sur ses joues. Le ciel gris laisse tomber sa pluie en grosses gouttes qui viennent s'écraser sur les vitres du véhicule.

– Arrête de pleurer ! glapit Aïcha. Tu vas nous apporter le malheur !

La camionnette freine et s'arrête dans une rue en pente, aux maisons toutes pareilles, aussi grises que le ciel, et qu'une petite cour sépare du trottoir.

– C'est la maison ! annonce Ahmed.

La pluie a cessé lorsque Zouina descend du véhicule, derrière Aïcha et les trois enfants.

– Enlève tes chaussures du diable, et prends les valises ! siffle Aïcha, en tournant vers elle un visage fermé.

Zouina ne répond pas, ne la regarde pas,

n'enlève pas ses chaussures. Mais c'est bien elle qui décharge valises et paquets.

Ahmed a sorti une clé d'une poche de sa veste et fait entrer Aïcha et les enfants, en jetant autour de lui de brefs regards, des regards de clandestin, comme si, tout d'un coup, au moment d'y introduire les siens, il n'était plus sûr que cette maison soit vraiment la sienne.

Restée seule derrière la camionnette, Zouina soulève la valise d'Aïcha. Tout son corps se raidit ; ce n'est pas possible, sa belle-mère a dû caser là-dedans tout un garde-manger ! Au moins un demi-mouton, et sûrement des tonnes de graines de semoule... Elle tord ses talons sur les pavés, parvient enfin à la déposer devant l'entrée et retourne à l'arrière de la camionnette.

Un autobus s'arrête juste en face de la maison. Le conducteur, à travers la vitre, observe la nouvelle venue, lui sourit. Zouina sent peser sur elle son regard. Elle détourne la tête, reprend son va-et-vient. Valises, paquets... Personne n'est venu l'aider. Ahmed parle avec le Pologne.

– Merci ! Merci ! Tu es comme un frère ! dit-il en lui serrant plusieurs fois la main.

– C'est rien ! C'est normal ! répond le Pologne, qui ajoute avec un sourire un peu forcé : Alors, ça y est ? Elle est là, ta famille ? Je suis très content pour toi !

– Oui, ça y est ! Et toi, ta famille, tu vas la faire venir ?

– Non, non ! répond vivement le Pologne.

Et, après un court silence :

– Les papiers, la France ! Non ! J'ai pas confiance ! Et puis, j'ai la maison là-bas, et le pays a besoin de nous !

Ahmed hoche la tête.

– Dix ans, eux là-bas, moi ici..., murmure-t-il.

Il s'interrompt, se retourne, et poursuit, en regardant la maison :

– Quand le patron m'a dit que la loi autorise la famille à venir, pour le regroupement, et que j'aurai une maison, une vraie maison, comme les Français, alors j'ai réfléchi, et...

Ahmed s'interrompt à nouveau, fixe ses chaussures, puis relève la tête.

– C'est long, c'est trop long, dix ans ! Le

temps qui passe, la mère qui se courbe un peu plus chaque jour vers la terre...

Le visage d'Ahmed s'éclaircit.

– Allez, rentre, je t'en prie ! Viens prendre le café ! Viens !

– Non ! Une autre fois ! Il est tard, et je dois ramener le camion !

Le Pologne se penche vers Ahmed, l'embrasse deux fois, sur chaque joue.

– Et la guitare ? Comment ça va ? demande-t-il.

C'est comme s'il n'arrivait pas à partir et Ahmed non plus n'a pas l'air pressé de le voir s'en aller, comme s'il appréhendait de se retrouver face à ceux qu'il a fait venir.

– Ça va, un peu, dit-il. L'accord sol majeur, j'arrive pas encore...

Zouina a fini de décharger les valises. Elle saisit son sac de drap, qu'elle tient serré sur sa poitrine.

Avant de franchir le seuil, elle jette un dernier regard sur les deux hommes, debout près du véhicule, qui ne parviennent pas à se séparer.

– Tu sais, Ahmed, dans la chambre juste à côté de la nôtre, Koshisha, notre ami...

– Oui, bien sûr, Mahmoud ! répond Ahmed, avec un petit sourire.

– Eh bien, mercredi, non, jeudi soir..., continue le Pologne, le visage grave, on était tous devant la douche... Lui, il était le troisième, ou le deuxième, je ne sais plus... Il s'est avancé lorsque c'était son tour, et il est tombé, mort ! Comme un vrai mort ! Son cœur, il a lâché ! Que Dieu ait son âme !

Ahmed baisse les yeux. Mahmoud n'est pas le premier dont le cœur lâche ainsi.

– Quinze ans qu'il n'avait pas revu le pays..., soupire le Pologne. On s'est tous cotisés. On a renvoyé son corps au pays. Il a voyagé comme une caisse de bananes ! C'était son destin.

Le Pologne détourne brusquement la tête, se précipite à l'arrière de la camionnette, dont il ferme bruyamment les portes métalliques, puis se hisse sur le siège, fait vrombir le moteur, et l'instant d'après le véhicule dévale la rue en pente. Ahmed suit la camionnette des yeux, lève le bras, en signe d'adieu, reste un instant debout sur le trottoir, les yeux rivés sur le bout de la rue, et finit par rentrer, d'un pas lourd, dans la maison. Cette histoire-là, celle de Mahmoud, comme bien d'autres avant, Ahmed la gardera pour lui.

Aïcha a déjà pris possession des lieux et posé sa valise dans l'angle qui lui a paru le meilleur pour surveiller la maisonnée. Sa valise, c'est son mirador.

Zouina esquisse quelques pas hésitants, les premiers, dans ce qui va être son nouveau décor : contre un des murs de la pièce qui sert à la fois de cuisine, de salle à manger et de salon, de multiples cartons, certains ouverts, d'autres fermés, soigneusement empilés, ne permettent pas de savoir si celui qui vit ici vient juste d'arriver ou s'apprête à partir. Sur le mur opposé, sont alignés un étui de guitare, un pupitre et un ampli.

Dans l'évier, traîne un peu de vaisselle sale. Un verre contient encore un fond de café, et un autre, un blaireau et du savon à barbe. Sur la cuisinière, un réchaud à pétrole.

Les enfants, épuisés, se sont effondrés sur des chaises dépareillées et un fauteuil qui n'a plus qu'un bras. Zouina repousse un peu le fauteuil, commence à laver la vaisselle, cherche des yeux un balai... Ahmed désigne à sa mère une porte derrière l'escalier.

– C'est les cabinets ! lui dit-il. Viens voir !

Intriguée, Aïcha se précipite à sa suite. On entend aussitôt le bruit d'une chasse d'eau suivi d'un glapissement.

– *Ya Rabbi !* Tant d'eau gâchée !

Puis les yeux brillants d'admiration, elle se tourne vers Ahmed :

– Ah ! mon fils, je suis fière de toi ! C'est un château, ici !

Derrière le rideau qui sépare la pièce en deux, les portes entrouvertes d'un placard laissent entrevoir un fouillis indéfinissable. Il était temps qu'une mère vienne mettre un peu d'ordre là-dedans. D'un pas ferme, Aïcha se dirige vers le placard, et s'arrête devant un compartiment où se trouvent une petite bouteille d'huile, des oignons, du sucre, du café.

– C'est une honte, toute cette nourriture à

l'air ! s'écrie-t-elle, se tournant vers Ahmed, avec un air de contrariété manifeste. Mon fils, donne-moi la clé du placard, pour le café et pour le sucre !

– J'ai pas encore la clé, répond Ahmed, comme un enfant pris en faute.

Soulevant l'un des pans de sa chemise, Aïcha exhibe un trousseau de clés volumineux, et pousse un cri sourd.

– *Ya Rabbi !* J'ai emporté les clés de ma belle-fille d'Alger-Centre !

Zouina ne peut s'empêcher d'esquisser un petit sourire, en pensant qu'Aïcha aura ainsi privé de sucre Fatna – la belle-fille – et toute la maison d'Alger-Centre.

– *Yema !* Installe-toi ! Repose-toi ! supplie Ahmed, à qui toute cette agitation donne visiblement le tournis.

Aïcha se dirige vers sa valise, l'ouvre, en sort la peau de mouton qui ne la quitte jamais, s'assoit dessus, remue son imposant derrière, jusqu'à ce qu'il ait trouvé sa place, celle où il adhère le mieux, bien au centre. Dans un cliquetis ininterrompu de bracelets, elle défait son foulard de voyage, qui laisse apparaître une invraisemblable couche d'autres foulards superposés, aux couleurs indéfinissables.

Jetant des regards méfiants sur son territoire, elle tire de la valise une dizaine de paquets enfouis dans des sacs de plastique, qu'elle étale autour d'elle avec des airs mystérieux, et finit par trouver ce qu'elle cherchait : une bouteille noire, ornée d'une grosse rose rouge, qu'elle entrouvre et porte à ses narines. Une exhalaison entêtante d'extrait de rose envahit aussitôt la pièce. Aïcha referme vite le flacon, pour que les autres n'en profitent pas, brasse l'air pour ramener l'odeur dans sa direction, se rengorge, satisfaite, puis sort un chapelet de son corsage et, tout en le manipulant, surveille le moindre geste de Zouina, tel un carnassier qui épie sa proie...

– Venez voir les chambres ! lance Ahmed à la cantonade, en mettant son pied sur la première marche. Toi aussi ! ordonne-t-il à Zouina.

Les enfants, qui n'attendaient que cela, bondissent de leurs chaises et se précipitent derrière lui. Zouina monte la dernière, en s'appliquant à faire grincer ses talons à chaque marche. Les trois enfants s'engouffrent dans la chambre que leur a désignée leur père et sautent à pieds joints sur les trois matelas rangés côte à côte. Zouina pénètre dans la deuxième pièce, où Ahmed vient de déposer sa valise, avant de ressortir précipitamment. Là encore, des piles de cartons, tout autour du lit, rétrécissent le peu d'espace, et le même papier beige à grosses fleurs brunes semble vouloir étouffer toute chance de lumière.

D'un pas de somnambule, Zouina va jusqu'au matelas posé à même le sol et se laisse tomber sur les genoux. Ce sera donc ici sa chambre. *Leur* chambre, pense-t-elle, sans plus savoir ce que cela veut dire. Lentement, la tête vide, elle dénoue son foulard, défait un à un les boutons de son chemisier.

Au mur, trois cartes postales en couleurs, dont l'une représente le port d'Alger. Zouina se redresse, approche son visage de la carte, jusqu'à la toucher, comme si elle voulait s'y fondre. La mer s'enfle, les vagues grondent, déferlent. Les jambes de Zouina se dérobent, elle se sent défaillir. Là-bas, de l'autre côté de l'eau, sa mère vient de s'effondrer. Elle avance la main, pour la caresser, la relever... Le temps semble s'être arrêté. Zouina ne sait pas qu'elle pleure, ne sent pas les larmes qui inondent ses joues.

Quand elle rouvre les yeux, elle n'a plus devant elle qu'un mur sale.

Elle enfile machinalement une robe d'intérieur vert pâle, qui lui pèse soudain aussi lourd qu'une chape de plomb. Son visage a pris la couleur de la cendre.

Zouina range la jupe et le chemisier, qu'elle vient de quitter, à l'intérieur du baluchon dont elle noue, d'un coup sec, les quatre coins, puis descend une à une les marches de l'escalier, sans parvenir à les faire grincer. A l'inverse des hauts talons blancs, ses savates n'ont pas le pouvoir de la faire exister.

En bas, Ahmed vient d'installer un cadenas sur l'une des portes du placard, et tend à Aïcha une clé qu'elle s'empresse de saisir.

– Dieu te garde !... Merci, mon fils ! C'est mieux, pour le café et le sucre !...

Comme ça, c'est clair. S'il restait un doute à Zouina sur ce point, le regard de triomphe que lui jette sa belle-mère le lui enlèverait.

– L'eau là-bas, c'est moi qui tire, compris... ajoute-t-elle en désignant d'un doigt autoritaire la porte des cabinets.

Zouina hausse les épaules et, poursuivant ses rangements, se dirige vers la porte-fenêtre qui donne sur l'arrière de la maison, sur le jardin. Elle ne savait pas qu'il y en avait un. Mais de quoi avait-il parlé ? Il avait dit : « Venez », et ils étaient venus. A Alger, elle avait un jasmin.

Zouina ouvre la porte, elle est dehors. A vrai dire, c'est plutôt une cour qu'un jardin. Une herbe rare, grise, une vieille lessiveuse dans un coin, un fil pour étendre le linge. Au fond, un appentis.

Soudain, extasiée, elle découvre là, de l'autre côté de la haie de thuyas maigre et basse, un autre jardin, un vrai. Pas plus grand que le leur, mais qui lui paraît une serre, un parc, une fête. Zouina ouvre de grands yeux devant la variété et la richesse des massifs de fleurs parfaitement ordonnés, sur lesquels veille un coq en céramique aux couleurs criardes. Comment peut-on faire tenir tant de choses dans un si petit espace ? Certaines fleurs épanouies rivalisent d'éclat, d'autres sont encore en boutons. Tous les oiseaux du quartier semblent avoir élu domicile dans les arbustes qui poussent là.

Au milieu d'une allée à larges dalles courent les méandres verts d'un tuyau d'arrosage. On dirait ce serpent apparu, un midi, à la fontaine du village où elle était venue chercher de l'eau avec ses sœurs. D'abord, elle ne l'avait pas bien vu : c'était l'heure écrasante où les contours des êtres et des objets deviennent flous, blancs de lumière et de chaleur mêlées. Mais c'était bien un serpent, qui se prélassait sur la margelle. Terrorisée, Zouina avait pris un gros bâton et frappé sur les pierres du puits, jusqu'à ce que l'animal s'enfuie, tandis que ses jeunes sœurs, accrochées à ses jupes, poussaient des cris aigus.

Mais s'il y avait d'autres serpents ? Zouina a soudain la sensation que des regards sont posés sur elle, qui l'épient. Elle cherche autour d'elle et aperçoit, à la fenêtre du premier étage, au-dessus du jardin des voisins, derrière les pans d'un rideau à fleurs, deux têtes, celles d'un homme et d'une femme d'un certain âge, qui disparaissent aussitôt.

Dès qu'elle détourne les yeux, les deux têtes réapparaissent, et ce cache-cache muet dure quelques secondes, jusqu'à ce que Zouina se décide à rentrer. Elle respire une dernière fois l'air du dehors, avant de pénétrer dans le repaire d'Aïcha, où flottent toujours de lourds relents d'extrait de rose. Zouina se dirige vers la table, et commence à éplucher les légumes.

– Allez, dépêche-toi ! s'impatiente Aïcha. Amène ici la marmite, les légumes et un couteau, pour que je les coupe ! Allez, tu vas prendre le rythme !

Zouina dépose une marmite devant la peau de mouton, retourne prendre les légumes et les apporte à Aïcha, qui les examine d'un air dégoûté.

– Pfft... ! Ma belle-fille d'Alger-Centre, elle les épluche comme une reine !

Pour toute réponse, Zouina saisit la dernière carotte, qu'elle vient tout juste d'éplucher, et la balance dans la marmite, éclaboussant violemment Aïcha. Elle sourit. Ça ne se voit presque pas, mais elle sourit.

– Baisse la tête ! hurle sa belle-mère, furieuse. Je vais te dresser !

Ahmed, le visage grave, a assisté à la scène

sans rien dire. Il fait asseoir les enfants autour de la table :

– Demain, les enfants, commence-t-il solennellement, je vous emmène à l'école !

Sous leurs regards intrigués, il se dirige vers l'un des cartons posés contre le mur et en sort trois cartables, tous identiques, ornés de la même moto. Les deux garçons poussent des cris de joie. Amina fixe son cartable d'un air déçu.

– C'est pas pour les filles, les motos, observe-t-elle d'une voix timide.

– Quoi, pour les filles ? Tais-toi, et ferme ta bouche ! rugit Aïcha, tandis que Zouina fait volontairement le plus de bruit possible en rangeant les assiettes dans le placard.

– Y a tout ce qu'il faut, dedans, précise fièrement Ahmed. Les cahiers, les crayons. Et encore des cahiers, et encore des crayons ! Y a les manteaux, y a les chaussures. Y a tout !

Puis, ne sachant plus trop quoi dire, face aux regards scrutateurs des enfants, il ajoute, en réajustant le col de sa chemise :

– Après l'école...

Ahmed s'interrompt, hésite, se redresse, et

en accompagnant chaque mot d'un de ses doigts levés, il énonce, lentement, doctement :

– Alors… Un, vous reviendrez tout seuls. Deux, vous suivez le chemin. Trois, vous restez sur le même trottoir. Quatre…

Ahmed s'interrompt de nouveau. Depuis combien de temps n'a-t-il pas parlé à des enfants ? Et ceux-là ont beau être les siens, il les connaît à peine.

– Quatre : attention ! Ici, on n'est pas chez nous…

– Et où on est ? s'étonne Amina.

– Encore tu parles ! s'écrie Aïcha.

Zouina la fusille du regard.

– On n'est pas dans notre pays ! explique Ahmed.

Après un court silence pendant lequel Zouina a senti monter l'inquiétude des enfants, il reprend :

– En face, c'est l'ancienne usine ; elle est toute cassée.

– Pourquoi elle est cassée ? demande Ali.

– Pourquoi ? Ben… Elle est morte !

Ahmed, épuisé, s'essuie le front. Relevant la tête, il continue bravement :

– Derrière, il y a les champs, et la grande route ! Il ne faut pas y aller ! C'est interdit ! C'est dangereux ! Compris ?

– Compris ? aboie Aïcha en écho.

Les enfants se taisent, échangent des regards furtifs. Ils ne sont pas chez eux. C'est dangereux. C'est interdit. Demain l'école. Compris ? Tout à l'heure, ils riaient en découvrant leur chambre.

– Maintenant, les enfants, vous allez voir une surprise...

La voix d'Ahmed s'est radoucie. Redressant le torse, réajustant une nouvelle fois son col de chemise, il prend sa chaise, va la placer près de l'étui, qu'il pose délicatement sur ses genoux, approche l'ampli et le pupitre.

Appuyée contre l'évier, Zouina écoute sans entendre, Zouina regarde sans voir. Elle n'a rien à dire. Personne, d'ailleurs, ne lui prête la moindre attention ni ne remarque qu'elle se cache à moitié derrière le rideau.

Devant les enfants bouche bée, et Aïcha éberluée, Ahmed ouvre l'étui avec d'infinies précautions, en sort d'abord une partition, qu'il installe religieusement sur le pupitre, puis une guitare électrique, rouge, incrustée d'étoiles scintillantes, qu'il branche sur l'ampli. Il se rapproche de la partition, décrypte les mesures, remue ses doigts comme pour les assouplir, puis attaque lentement les cinq premières mesures d'*Apache*. Les yeux des enfants brillent d'admiration. Ahmed plaque le sixième accord, celui en sol majeur, qui sonne faux, comme chaque fois. Recommence, se trompe de nouveau. Recommence. Les enfants éclatent de rire. Ahmed se lève brutalement de sa chaise.

– Allez, c'est fini, la musique ! s'écrie-t-il en surprenant le regard de Zouina qui l'observe derrière le rideau.

Zouina se dit que, pour elle, la musique ne fait que commencer.

C'est un cauchemar qui l'a réveillée. Elle ouvre brusquement les yeux : dans la pénombre de la chambre, elle distingue un corps allongé tout près d'elle, un visage avec une moustache.

« Ahmed est revenu au pays », pense-t-elle d'abord. Mais une angoisse noue sa gorge : elle se lève d'un bond. Que font tous ces cartons autour du lit ?

Elle fait quelques pas, descend les marches de l'escalier. Les premières lueurs de l'aube s'infiltrent à travers les fentes des volets, les franges du rideau éclairent les murs de sa prison. Elle oublie son cauchemar : ce n'était rien à côté de ça.

Machinalement, elle se dirige vers le placard, en sort trois verres, qu'elle remplit de lait, les pose sur la table et reste debout, les bras ballants, inertes, le long de sa robe.

– Allez ! Vite ! Dépêchez-vous ! C'est l'heure !

Mauvais rêve ou pas, il était temps qu'elle se lève. Il y a du bruit à l'étage ; Ahmed est debout, il réveille les enfants.

Personne n'a dit un mot pendant ce tout premier petit déjeuner. Aïcha dort encore. Le regard vide, Zouina arrange le col de trois vestes, passe la main dans des cheveux, puis les trois cartables ornés d'une moto franchissent la porte derrière le cartable noir d'Ahmed, dans lequel elle a glissé sa cantine.

Zouina entend la voix grave de son mari pendant qu'ils traversent la cour.

– Un, tenez-vous droits ! Deux...

– Oui, papa ! répondent les enfants.

Les bruits de leurs pas s'éloignent, puis disparaissent, laissant la pensée de Zouina vagabonder bien loin de cette maison, de cette rue, de cette ville.

Ouvrir la porte ? Partir ? Se sauver, loin, loin... Retourner au pays qu'elle n'aurait jamais dû quitter ?

– Fatna – que Dieu me la garde ! –, à peine j'ouvre un œil, j'ai mon café !

Ça y est, elle est réveillée ! Sa voix aigre annonce sa descente imminente, et les premiers mots d'Aïcha sont pour reprendre la louange de la belle-fille d'Alger-Centre... Aussitôt, Zouina prend le réchaud à pétrole sous un bras, la cafetière de l'autre main, et se dirige vers l'appentis du jardin pour y installer le réchaud, le *canoun* apporté d'Algérie et la cafetière.

De nouveau, le rideau a bougé dans la maison voisine. La femme qui se tenait à la fenêtre se tourne vers son mari. Ils ont la soixantaine largement dépassée, tous les deux. Avec la retraite est venu le temps des fleurs et des nains de jardin. Ils n'ont que ça, ils ne sont que ça.

– Depuis le temps qu'on le voit tout seul, s'inquiète la femme, d'où il la sort, toute cette famille ? Tu crois que ce sont des mahométans ?

– Comment veux-tu que je le sache, ma petite fleur ?

– En tout cas, pour le concours, c'est fini, foutu ! gémit la femme en tournant son regard vers une coupure de journal qu'elle a fait encadrer au-dessus du buffet et qui les montre, elle et son mari, souriant au milieu de leurs parterres.

– « M. et Mme Donze, favoris du concours du plus beau jardin fleuri de la ville... » Tu parles ! Leurs mômes vont tout nous massacrer ! Ils ne vont tout de même pas les laisser jouer dehors... Mais regarde-la ! Doux Jésus, qu'est-ce qu'elle fait avec son chaudron ?

Zouina vient de frotter une allumette. Cette fois, Mme Donze n'y tient plus, elle ouvre toute grande la fenêtre et s'écrie :

– S'il vous plaît ! Excusez-moi, mais ce que vous faites là, c'est totalement interdit !

Zouina se retourne. Elle a en face d'elle les deux têtes qu'elle avait aperçues la veille. M. Donze a un visage poupin, un peu rouge, sous ses cheveux blancs. De Mme Donze, Zouina ne voit d'abord que des yeux bleus, exorbités, qui la fixent, et sur lesquels tombe une mèche de cheveux gris, qu'elle remonte sans arrêt sur le dessus de sa tête.

Les deux femmes s'observent, quand Aïcha ouvre violemment la fenêtre du premier étage.

– Qu'est-ce que tu as ? hurle-t-elle à Mme Donze. Laisse la bourrique faire chauffer mon café !

Devant les yeux épouvantés de Mme Donze, se déroule le spectacle effrayant de mains toutes noires qui s'agitent dans l'air, et d'un foulard bariolé qui retombe comme une visière dès qu'Aïcha remue la tête.

– Arrière, sorcière ! s'écrie-t-elle, en reculant de trois pas, pour éloigner cette vision insoutenable.

Puis elle ajoute, comme pour se rassurer :

– On a des lois, ici ! On ne fait pas de feux de camp dans les jardins ! Vous voyez bien que c'est un jardin ! Vous savez ce que c'est, un jardin ? On n'est pas dans la Casbah !...

– Ici, c'est la casbah de mon fils ! rugit Aïcha. *Berlé foumouk !* Ferme ta bouche !

Mme Donze recule encore, horrifiée.

– *Fou-mouk ?* balbutie-t-elle en se signant à plusieurs reprises pour conjurer ce qui ne peut être qu'une malédiction.

Une voix jeune retentit de l'autre côté du grillage, venant du jardin qui jouxte celui d'Ahmed, à droite. Zouina n'avait pas pensé que, des voisins, il y en a de tous les côtés.

– Non mais, qu'est-ce qui se passe, ici ? Elle lui laisse même pas le temps de s'installer qu'elle commence déjà !

La nouvelle venue est vêtue d'une robe de jersey sous un imperméable mastic, serré à la taille. De longs cheveux blonds flottent sur ses épaules. Zouina la trouve très belle.

– Bonjour ! dit-elle très naturellement. Je suis votre voisine, Mlle Breillat. Ou, plus simplement, Nicole.

– Licoule ? Ah, je connais ! s'exclame Aïcha, en lui faisant un grand sourire, les enfants y sont.

– C'en est trop ! sanglote Mme Donze en refermant la fenêtre pour faire disparaître la vision des trois sorcières. Nous sommes maudits !

– Depuis qu'on les a donnés gagnants et qu'on a mis leur photo dans le journal, explique Nicole, ils sont complètement sur les nerfs. Elle, surtout ! Leur jardin, c'est devenu un enfer ! Et pourtant, ça devrait être le contraire, vous ne croyez pas ? dit-elle à l'adresse d'Aïcha qui tend le cou pour comprendre ce qu'elle dit.

– Et vous, c'est comment, votre petit nom ? ajoute-t-elle en tendant la main à Zouina par-dessus le grillage.

– Zouina ! répond celle-ci en serrant très fort la main de la jeune femme.

Nicole ouvre délicatement ses narines.

– Hum ! ça sent le Sud ! Bon ! C'est pas tout ça, mais il faut que j'y aille ! Je travaille à l'usine... Vous savez, les produits de beauté...

Nicole avance un peu la bouche et touche d'un doigt son rouge à lèvres.

– C'est moi, ça, déclare-t-elle avec un grand sourire. En quelque sorte...

Elle lève la tête vers la fenêtre où Aïcha, qui vient de la voir se toucher les lèvres, cesse de lui sourire. Nicole se rapproche de Zouina et reprend à voix basse :

– Dites donc, je savais pas qu'il avait une famille, votre mari ! C'est bien votre mari, hein ? Depuis le temps qu'on le voit tout seul...

Et, avec une expression mutine et complice à la fois :

– Dites, c'est qu'il est bel homme ! Et vraiment pas coureur.

Aïcha se penche dangereusement par la fenêtre, pour entendre.

– Oh ! là ! là !... Il faut vraiment que j'y aille ! s'écrie Nicole. A bientôt, Zouina !

– Allez, rentre, visage de malheur ! hurle Aïcha, de la fenêtre.

Zouina a un petit mouvement d'épaules qui exprime sa résignation. Nicole lève la tête, fronce les sourcils, puis s'éclipse.

Un soleil timide caresse les fleurs du jardin des Donze, s'infiltre à travers les franges du rideau qui donne sur la cour et nimbe la table, le fauteuil et les cartons d'un halo jaune où dansent des grains de poussière.

Seule dans la pièce, Zouina, les coudes posés sur la table, appuie machinalement sur le bouton du transistor. Une chanson mélancolique s'échappe du poste, se répand sur le silence des meubles, s'évade vers le jardin et revient se poser sur Zouina.

Combien de temps encore va-t-elle pouvoir tenir, dans ce désert, cette solitude, épiée sans répit par la Gorgone aux foulards ? Les enfants vont à l'école, ils en rentrent, y retournent. Ahmed va au travail, il en rentre, y retourne. Aïcha est toujours là, chien de garde de ce vide, et Zouina tourne en rond. Elle ne sort jamais, ne voit personne. Elle est emmurée.

En tendant l'oreille, comme si elle espérait que le poste lui fournisse une réponse, elle le lève et se dirige vers l'un des cartons posés contre le mur. Elle hésite et, finalement, se décide. Une odeur de sueur et d'essence de térébenthine s'exhale du carton entrouvert. Il contient du linge d'homme : deux chemises, qu'elle défait, et dont les manches sont déchirées sous les bras, une autre qui n'a plus de boutons, un bleu de travail bien caché sous une serviette, maculé de taches de peinture, que la térébenthine n'a pas fait disparaître.

En dépliant les vêtements, Zouina s'avise qu'Ahmed ne lui a jamais parlé de ce qu'il faisait, ici, en France. Dix ans qu'il est parti, jamais un mot sur son travail, sur sa vie, du temps de ses retours à Alger, et pas un non plus depuis qu'elle est là. Dix ans, et de sa solitude non plus, pas un mot.

Elle lève la tête et regarde la valise d'Ahmed, rangée sur le placard, mais qui, elle aussi, reste muette. Elle plonge la main tout au fond du carton. Sous le bleu de travail, elle découvre un portefeuille usé, qu'elle ouvre avec précaution. Il contient quelques photos sous une enveloppe de plastique transparent. Elles représentent Ahmed et le Pologne au milieu d'un groupe d'hommes, devant un bâtiment qui ressemble à un hôpital. Certains ont le même âge qu'Ahmed, d'autres paraissent beaucoup plus vieux.

« Et voici maintenant le jeu des Mille francs, animé par Lucien Jeunesse ! »

Zouina sursaute, range les photos, remet le portefeuille à sa place, replie les chemises, le bleu de travail, enfouit à nouveau dix ans de travail, de foyer, de solitude, et referme le carton. Elle écoute les questions, hypnotisée par le tic-tac des secondes qui s'égrènent. Elle attend les réponses, elle aussi veut savoir.

« Et voici la question rouge de M. Sauvel, de Nantes. Écoutez bien, cette question peut vous faire gagner mille francs... Quel est le nom de l'invention d'Ernest Esclangon, né dans les Basses-Alpes en 1876 ? Réfléchissez bien... Chaque seconde compte... »

Un bruit mesuré de chasse d'eau brise la magie de l'attente, comme si Aïcha s'efforçait de retenir le flot.

Dès qu'elle entre dans la pièce, Zouina se lève comme mue par un ressort et se met à frotter énergiquement le dessus de la table, pour en faire disparaître quelques taches imaginaires.

« C'était l'horloge parlante ! s'exclame la voix à la radio. Je vous l'avais bien dit que chaque seconde comptait ! »

Zouina n'entendra pas la suite. La main noire d'Aïcha vient de s'abattre sur le transistor, qui s'éteint et tombe sur le sol avec un bruit sourd.

– Maman, c'est nous ! Ouvre ! crie Rachid en donnant des coups de pied dans la porte.

Zouina entrebâille la porte. Les garçons se bousculent dans le couloir et jettent leurs vestes, que Zouina et leur sœur s'empressent de ramasser et de ranger.

– Maman, maman, j'ai un copain ! explique Rachid. Il s'appelle Nicolas, et il m'a donné deux crayons !

Tous s'empressent autour d'elle.

– Maman, qu'est-ce qu'il fait comme travail, papa ? demande Amina. J'ai un papier à remplir.

Ali s'inquiète parce qu'il n'a pas tous les crayons de couleur.

Zouina se penche et les serre tendrement contre elle.

– Venez faire le boussa à Ramé ! ordonne aussitôt Aïcha en faisant des signes autoritaires de la main.

« Le boussa à Ramé », c'est une bise à grand-mère ; mais les enfants font la sourde oreille.

Ils se jettent sur les gâteaux de semoule que leur distribue Zouina.

Dès qu'ils ont fini de goûter, Rachid et Ali sortent jouer dans le jardin. Adossée à la porte, Zouina regarde ses fils qui s'amusent à faire rouler leur ballon en poussant des cris de joie.

Au premier cri, Mme Donze s'est précipitée et a saisi le coq en céramique, qu'elle tient serré contre sa poitrine, tout en astiquant ses plumes avec l'un des coins de son tablier.

– Dis, maman, c'est quand la fête de l'Aïd ? demande Amina, venue rejoindre sa mère.

L'Aïd ! Zouina est brutalement ramenée au pays. Des images affluent à sa mémoire, sa gorge se noue : elle revoit sa mère préparant les gâteaux, sent monter jusqu'à ses narines l'odeur du miel parfumé et celle de l'eau de fleurs d'oranger, se souvient de ses sœurs avec qui elle allait porter l'assiette de gâteaux aux amis, aux voisins qui ouvraient leur porte en les entendant prononcer le nom d'un parent mort.

– C'est en souvenir de l'oncle Moussa ! disait la cadette.

Aussitôt, la porte s'ouvrait pour recevoir

l'assiette et rendre hommage à l'oncle défunt. Zouina passe sa main sur ses yeux pour essuyer une larme et va s'asseoir sur un petit tas de bûches.

– A qui on va les apporter, les gâteaux de l'Aïd ? On n'a pas de famille ici, ni d'Algériens comme nous..., répond-elle à sa fille. C'est dans trois semaines, la fête !

Rachid et Ali, cessant de le pousser avec leurs pieds, lancent le ballon au-dessus de leurs têtes. Mme Donze se rapproche d'eux, suit chaque mouvement du ballon, va et vient nerveusement le long de la haie. Dès que l'un des enfants s'empare du ballon pour le lancer à l'autre, elle s'arrête, elle aussi, et de ses bras tendus fait un rempart dérisoire pour protéger le jardin.

Ça ne pouvait suffire : au bout de dix minutes, le ballon passe par-dessus la haie et va s'écraser dans un massif de pensées.

Un hurlement épouvantable retentit. Mme Donze, avec une vivacité surprenante pour son âge, plonge vers le sol et se jette sur le ballon avant de s'immobiliser à quatre pattes dans un parterre.

Aïcha passe la tête par la fenêtre du premier étage, pendant que M. Donze, un sécateur à la main, se dresse derrière la rangée d'arbustes qu'il était en train de tailler.

– Assassins ! Égorgeurs ! hurle Mme Donze, toujours à moitié couchée sur le ballon qu'elle se refuse à lâcher.

Puis, rampant toujours, elle se dirige vers son mari, tend le bras et, avec un cri rauque, lui arrache le sécateur. La mèche de cheveux balayant ses yeux, la bouche tordue, écumant de rage, Mme Donze se tient maintenant toute droite, statue de la vengeance. Aïcha, Zouina, les trois enfants et M. Donze, tous la regardent, pétrifiés à leur tour. Un silence de mort s'abat sur le jardin. Même les oiseaux se sont tus.

Et c'est comme dans un rêve qu'ils la voient lever haut le bras, plonger le sécateur dans le ballon et, avec une sorte de râle, le déchiqueter en trois morceaux qu'elle jette aussitôt le plus loin possible.

Un morceau de caoutchouc atterrit aux pieds de Zouina. Sortant brusquement de sa stupeur, la jeune femme jette une savate d'un côté, puis l'autre, relève sa robe jusqu'au nombril, prend son élan et franchit la haie d'un bond de tigresse. La tête d'Aïcha s'agite dans tous les sens comme celle d'un derviche tourneur. Son foulard glisse devant ses yeux, sur sa bouche, et c'est elle, maintenant, qui se met à hurler :

– Que la colère de Dieu s'abatte sur elle ! Mon fils, tu es déshonoré !

Zouina, elle, n'entend rien, ne voit rien. Dans sa rage elle a retiré complètement sa robe pour s'assurer une plus grande liberté de mouvement, et c'est en combinaison qu'elle s'abat sur Mme Donze, l'enfourche de ses jambes nues et lui enfonce à deux mains la tête dans les fleurs. Elle la saisit à la gorge...

– *Ya Rabbi !* glapit Aïcha. Elle s'est mise nue ! Les enfants, ne regardez pas !

Zouina secoue toujours plus fort Mme Donze et serre, serre. Elle serre le cou de Mme Donze, elle serre le cou d'Aïcha, elle tord le cou à son chagrin.

Aïcha hurle toujours, penchant son énorme corps à la fenêtre.

– Regarde bien mon visage !... Si je lui ramène pas tout de suite la deuxième femme, à mon fils, c'est que mon visage sera devenu celui d'une juive !

Entre les hurlements d'Aïcha, les cris des garçons, les pleurs d'Amina, les grognements sourds de Zouina, les sanglots de Mme Donze, c'est un véritable concert de lamentations qui s'abat sur le quartier.

– Tiens bon, Lucienne ! J'appelle les gendarmes ! affirme M. Donze, qui n'avait pas bougé le petit doigt jusque-là.

Aussitôt, Zouina se relève, laissant à terre Mme Donze dont les jambes découvertes laissent curieusement apparaître un panty à dentelles.

– Mon Dieu ! se lamente Aïcha, même les vieilles Françaises, elles montrent leur culotte ! C'est le pays des infidèles ! Toutes des pitaines ! Que Dieu me préserve !

Très calme, soudain, comme délivrée, Zouina se redresse, remet tranquillement sa robe. A ses pieds, le coq de céramique paraît lui jeter un défi haineux. Plantant son regard dans celui de Mme Donze, qui hoquette toujours, elle s'empare du coq, le tient un instant levé au-dessus de sa tête, puis le jette dans l'allée où il se brise en deux.

La tête du coq vient rouler entre les jambes de Mme Donze, qui pousse un cri d'agonie.

Un peu plus tard, Zouina se retrouve debout contre la table, les enfants autour d'elle, immobiles, dans ce calme qui paraît pire que la tempête elle-même et qui la suit toujours. Personne, tout d'un coup, ne comprend plus ce qui s'est passé.

Aïcha, un châle blanc dont les glands pendouillent devant ses yeux et posé sur son échafaudage de foulards, a saisi son chapelet et psalmodie des incantations.

Soudain, des coups résonnent à la porte.

– Ouvrez ! ordonne une voix.

Suivie d'Aïcha qui ne la lâche pas d'une semelle et implore la clémence d'Allah, Zouina va ouvrir. Son sang se glace quand elle découvre deux képis de gendarmes dans l'entrebâillement de la porte. Les deux hommes regardent tour à tour Zouina, puis Aïcha, visiblement déconcertés par leur accoutrement.

– On vient... pour la plainte de..., commence le plus âgé, hésitant à poursuivre, comme s'il n'était pas sûr d'être compris.

Zouina ouvre la porte pour les laisser entrer, mais Aïcha la bouscule, s'interpose.

– Jusque-là, elle a levé la jupe, m'sieur la boulice ! gémit-elle.

De l'autre côté de la rue, le bus freine et s'arrête. Le jeune conducteur lui adresse un regard désolé, inquiet.

Ahmed, qui de l'intérieur du bus avait vu les uniformes devant sa porte, traverse en courant et farfouille aussitôt dans la poche de sa veste. C'est encore avec le regard traqué d'un immigré qu'il tend aux deux hommes sa carte de séjour.

– On a les papiers ! s'écrie-t-il en les brandissant frénétiquement. Le regroupement, l'identité, le passeport, j'ai tous les papiers !

– Ce n'est pas un contrôle, répond l'un des gendarmes. C'est pour une plainte de vos voisins. Une tentative d'étranglement...

Ahuri, Ahmed se tait et leur fait signe d'entrer.

Le gendarme s'assied à la table de la cuisine, pose son képi, ouvre son calepin. Ahmed reste debout devant lui. Appuyée contre l'évier, Zouina garde la tête baissée.

– Bon, commence le gendarme en jetant sur Aïcha des coups d'œil obliques, alors, c'est une plainte pour dégradation de matériel... On m'a parlé de fleurs, de coq, et surtout d'une tentative d'étranglement...

A chaque mot, Zouina sursaute, comme brûlée au fer rouge, tente d'ouvrir la bouche, mais aucun son n'en sort.

– Elle a levé la jupe, m'sieur la boulice ! Jusque-là ! répète inlassablement Aïcha.

– Quoi ? Quelle jupe ? interroge Ahmed, les mâchoires crispées.

Saisissant une serviette en éponge, il la jette violemment en direction de Zouina, qui baisse la tête pour l'éviter. La serviette atterrit sur le couscoussier, qui s'écroule dans l'évier avec un bruit de ferraille.

– On se calme ! ordonne le gendarme. Pour la jupe, moi je n'ai rien... Maintenant, il faut que j'aille voir les Donze.

Tout de suite après le départ des gendarmes, Aïcha est remontée à l'étage, pour essayer d'obtenir le pardon de Dieu. Ahmed se jette sur Zouina, toujours incapable de prononcer un seul mot.

– Qu'est-ce que c'est, cette histoire de jupe ? hurle-t-il. Et le coq, c'est qui, le coq ? Je te fais venir ici, et toi, tu trahis mon honneur, tu m'amènes la police !

De nouveaux coups secs retentissent à la porte. Zouina entend la voix du gendarme :

– Vous pouvez appeler votre femme ?

Ahmed revient chercher Zouina, qui était restée accrochée à l'évier comme à une bouée de sauvetage.

– Avance ! ordonne-t-il, le visage déformé par la colère.

Sur le seuil, se tiennent les gendarmes et les Donze.

– Mme Donze veut bien retirer sa plainte ! dit un des gendarmes avec un sourire encourageant. Allez ! Serrez-vous la main !

Poussée par son mari, Mme Donze s'avance en tremblant.

– Allons, Lucienne, insiste M. Donze.

Ahmed lui aussi pousse Zouina vers sa voisine. Les deux femmes s'affrontent du regard. C'est Mme Donze qui baisse les yeux la première. En détournant la tête, elle finit par tendre à Zouina une main molle. Celle-ci la saisit et la pince violemment. Les hommes font semblant de ne rien voir.

– Peste ! s'écrie la Donze avec une grimace de douleur.

Ahmed a refermé la porte. C'est fini.

Ça commence. Au moment où Zouina, qui était retournée à pas lents vers l'évier, tend la main vers le couscoussier, le premier coup d'Ahmed l'envoie rouler au pied de la table. Les coups pleuvent, de poing, de pied, sur les bras, sur les jambes. Un dernier coup de pied au ventre la fait hoqueter de douleur et elle perd connaissance.

Amina, cachée derrière le rideau, a tout vu. La petite fille pleure sans bruit.

Dans un silence pesant, Ahmed enfile sa veste, boutonne le col de sa chemise. La nuit n'a pas apaisé sa colère ; elle est seulement plus froide, plus contrôlée. Elle s'exprime d'abord à l'égard des enfants, qui attendent, rangés en file, le signal du départ pour l'école.

– Alors, c'est comme ça ? leur jette Ahmed. Vous faites du scandale, comme des sauvages ? Vous me trahissez ? Je n'ai pas ramené des enfants, mais des serpents !

Les deux garçons plongent du nez vers leurs cartables. Amina a retourné le sien, la moto contre sa robe, en signe de protestation, et jette des regards furtifs vers sa mère qui se tient debout, près de la table.

Ahmed prend rageusement sa sacoche, tandis que le petit Ali lui demande, pour faire diversion :

– Où est-ce qu'elle est, ton école à toi ?

– On pose pas de questions à son père ! rugit Ahmed en poussant les deux garçons dehors.

Amina hésite à les suivre. Elle se retourne vers Zouina, qui lui adresse un petit sourire et un signe de la tête, comme pour dire : « Ne t'en fais pas, ça va aller... »

Les épaules et les cuisses marquées de bleus, le ventre douloureux, elle s'avance péniblement jusqu'à l'évier pour la première vaisselle du jour.

Zouina, ce matin, ne se sent pas le courage d'affronter Aïcha, de recommencer les mêmes gestes sous sa surveillance ; elle serait capable de lui sauter à la gorge au moindre ricanement, à la moindre remarque... Elle préfère aller étendre le linge dans le jardin.

L'air froid et humide l'apaise ; elle s'efforce de ne penser qu'à ce qu'elle fait, prend lentement une pince après l'autre. Elle ne peut s'empêcher, cependant, de jeter un regard pardessus la haie. Les Donze sont affairés à quatre pattes devant le massif où avait atterri le ballon. Autour d'eux, une quantité de bâtonnets éparpillés sur le gazon, des bouts de ficelle, un petit arrosoir de poupée, un sac de graines – tout le matériel de premier secours du parfait jardinier.

– Tu crois qu'on va pouvoir en sauver quelques-unes ? demande la voix angoissée de Mme Donze.

– Mais oui, mais oui ! la rassure son mari en enfonçant un bout de bois dans la terre.

Dès qu'il a redressé une pensée à l'aide du tuteur, Mme Donze verse un peu d'eau avec le petit arrosoir.

Haussant les épaules, Zouina ramasse sa bassine et se dirige vers la maison. Sur le seuil, elle entend la voix aigre d'Aïcha.

– Et mon café, où il est, mon café ?

Zouina s'est immobilisée. Elle ne peut pas, elle ne peut plus rentrer. Elle lève les yeux au ciel, murmure :

– *Yema ! Yema !*... Pourquoi tu m'as abandonnée ?

– Zouina... C'est moi ! C'est Nicole !

Zouina s'empresse d'ouvrir : Nicole se tient sur le seuil, toujours vêtue de son imperméable mastic dont la ceinture n'est pas attachée. Les longs cheveux, aujourd'hui, sont retenus sur le côté par une barrette dorée.

Dès qu'elle a entendu frapper, Aïcha a entrepris de descendre l'escalier. En reconnaissant Nicole, elle adopte la démarche et le port de tête d'une reine-mère, avançant le bout de sa pantoufle avec d'amples mouvements, à faire frémir toute une horde de prétendantes à la main du prince.

– Ah ! c'est toi, Licoule ? dit-elle avec amabilité.

– Oui, je passe en vitesse ! répond Nicole qui fait mine de repartir aussitôt vers la porte d'entrée.

– Tu vas boire le café ! Allez, viens t'asseoir là ! ordonne Aïcha en prenant place elle-même sur son trône en peau de mouton.

– Sympa votre canapé, original ! fait Nicole en s'asseyant sans manières à côté de la reine-mère et en tapotant la peau de mouton d'une main familière.

Indignée par ce manque de respect, Aïcha l'inspecte de la tête aux pieds. L'œil désapprobateur, elle remonte un peu l'échancrure du corsage sur son cou, puis tire sur l'ourlet de la robe de Nicole, qui découvre ses genoux. Zouina apporte deux verres de café, les pose sur la table.

– Tu n'en prends pas ? lui demande Nicole.

– Il manquerait plus que ça ! s'exclame Aïcha, indignée, en se relevant pour aller prendre le sucre dans le placard qu'elle déverrouille et referme aussitôt.

Interloquée, Nicole la regarde et reprend :

– Je suis venue parce qu'on m'a dit, pour l'autre soir... Elle vous a fait le coup des gendarmes, la Donze !

Elle s'est levée et s'approche de Zouina.

– Bon, au fait, on se tutoie, c'est plus sympa ! Mais pour le café, non vraiment, pas aujourd'hui. Une autre fois, quand j'aurai un peu plus de temps...

La pantoufle d'Aïcha perd de sa superbe : en traînant les pieds, elle va ranger les morceaux de sucre.

– Il ne faut pas vous laisser faire ! continue Nicole, très animée. C'est ce que je n'arrête pas d'expliquer aux filles de l'association de femmes divorcées que j'ai créée !

– Divorcées ? s'exclame Aïcha.

– Oui, et j'en suis fière ! C'est moi qui l'ai fondée, cette association ! On s'entraide, on a une avocate pour défendre nos droits, exiger les pensions alimentaires... On organise les gardes, pour les enfants, et chaque dimanche, on organise des sorties. Je n'en rate jamais une...

Nicole sort une cigarette, saisit la boîte d'allumettes qui traîne sur la table.

– Ouh ! là ! là !, on ne fume pas ! s'indigne Aïcha.

Consternée, mais n'osant pas répondre, Nicole se dirige vers la porte, suivie de Zouina.

– Eh bien, dis donc..., lâche-t-elle à voix basse juste avant de sortir, cependant qu'Aïcha remonte dans sa chambre en marmonnant des phrases en arabe où il est question de châtier ces « Françaises divorcées, qui fument et sortent nues dans la rue, Dieu me préserve ! »

Par la fenêtre, Zouina regarde Nicole traverser la rue en courant pour attraper le bus. Elle admire sa démarche, cette façon légère, aérienne de courir sur ses hauts talons.

Le bus est à l'arrêt. Le chauffeur ne peut pas voir Zouina, cachée derrière le rideau, mais comme à chaque passage il regarde longuement sa fenêtre avant de redémarrer à regret. Zouina détourne toujours la tête.

Elle se demande souvent où va ce bus. Vers la gare ? Plus loin, encore plus loin, jusqu'à ce quai, au sud, où retentissent les sirènes des bateaux ?

Zouina ne parvient pas à trouver le sommeil. Dans le calme de la maison endormie, elle descend doucement l'escalier en prenant bien soin de ne pas faire grincer les marches, ouvre la porte du jardin et respire l'air froid de la nuit. C'est étonnant comme le froid, décidément, l'apaise.

Éclairée par le pâle rayon d'un croissant de lune, elle devine le grillage qui la sépare de Nicole, la haie des Donze, l'appentis. Elle respire l'odeur des fleurs que la nuit rend plus légère. Dieu sait qu'au pays elle avait peur de la nuit, mais ici, c'est seulement dans l'obscurité qu'elle peut s'appartenir un peu.

Il lui paraît soudain qu'une sorte de voile glisse au-dessus de l'appentis. Est-ce un reflet de lune qui vient se perdre jusque dans son jardin ? Un nuage qui s'étire ? Mais ce souffle, cette présence qu'elle perçoit...

– *Yema !*... Maman !... C'est toi ? demande-t-elle d'une voix suppliante en tendant ses mains vers le ciel vide.

– Maman, c'est nous ! Ouvre ! J'ai amené Nicolas ! C'est le copain ! Le copain des crayons ! s'écrie Rachid, en martelant la porte du pied et des poings pour qu'elle s'ouvre plus vite.

Il s'engouffre dans le couloir, tirant par le

bras un gros garçon aux cheveux roux, qui baisse aussitôt la tête en apercevant Zouina.

Ali et Amina se précipitent vers leur mère.

– Maman, maman, il connaît une famille algérienne ! Une famille comme nous !

Le cœur de Zouina tressaillit dans sa poitrine.

– Qu'est-ce que tu dis ? Il connaît une famille algérienne ?

Elle se tourne vers le gros garçon, se baisse jusqu'à lui, le regarde avec des yeux suppliants, n'osant pas y croire.

– C'est vrai ? demande-t-elle. Tu connais des Algériens ? Comment ils s'appellent ?

Zouina secoue le bras de Nicolas, dont les joues deviennent cramoisies.

– C'est les... Bou... les... Bou... les... Bouï...

– Les Bouï quoi ? Dis-le, mais dis-le !

– Les... Bouïra ! lâche enfin le gamin, effrayé par la tempête qu'il vient de déclencher.

– Les Bouïra ! s'écrie Zouina.

Oui, c'est bien un nom de chez elle.

– Et où ils habitent, les Bouïra ? demande-t-elle d'une voix fébrile.

– C'est rue des A... rue des Alou... rue des Alouettes ! Au 12 !

– Vite, vite, écris dans ton cahier ! ordonne Zouina à Rachid, qui s'empresse d'obéir.

Un bruit de chasse d'eau. Un pas pesant qui descend l'escalier.

– Les enfants, vous n'en parlez pas, des Bouïra, vous ne dites rien ! bredouille Zouina en collant sa main sur la bouche d'Ali.

L'apparition monumentale d'Aïcha laisse le petit rouquin bouche bée.

– C'est mon copain ! explique Rachid d'une voix tremblante, en enfouissant vivement le cahier dans son cartable.

– Ah ! c'est ton copain ! répète Aïcha en pinçant la joue de Nicolas qui roule des yeux terrifiés devant les énormes paumes peintes d'un noir rougeâtre.

– Alors, si c'est ton copain, poursuit-elle sans lâcher sa proie, je vais lui raconter l'histoire de Djedda Roula !

Zouina ne sait pas comment calmer les battements désordonnés de son cœur. Elle a peur qu'Aïcha ne s'aperçoive de son émotion.

« Une famille algérienne !... se dit-elle en

rangeant maladroitement quelques gâteaux dans une assiette. C'est un signe du destin ! C'est *Yema* ! Elle était là près de moi dans la nuit ! C'est elle qui m'envoie un message. »

Aïcha a entraîné les enfants sur la peau de mouton et les a fait asseoir autour d'elle. Elle les observe un moment, tour à tour, en silence, puis arrête son regard sur Nicolas avant de commencer son histoire d'une voix qui devient de plus en plus rauque.

– Alors, Djedda Roula, l'ogresse, elle a pris les petites filles et les petits garçons...

Aïcha s'interrompt, fixe Nicolas avec des yeux terribles. Sa voix s'enfle encore, paraît rouler jusqu'au plafond.

– Elle prend le grand couteau et... hop ! elle les égorge tous !

Terrorisé pour de bon, Nicolas se lève brusquement, bouscule Zouina qui lui tendait l'assiette de gâteaux et prend la porte sans demander son reste.

– Ton copain, c'est un lâche ! commente simplement Aïcha qui a atteint son but.

Sur un signe discret de Zouina, les trois

enfants vont s'installer autour de la table et ouvrent leurs cartables.

– Au travail ! ordonne Aïcha.

Sur la table, Zouina pose un verre vide et trois sucres, empilés les uns sur les autres pour le retour d'Ahmed. Il était temps. La porte d'entrée claque. Zouina prend la cafetière et verse lentement le café dans le verre.

D'un filet Ahmed sort des carottes et des navets qu'il dépose sur la table, au milieu des cahiers. C'est toujours lui qui rapporte les courses en rentrant du travail. Depuis une semaine qu'elle est là, pas une seule fois Zouina n'a mis les pieds dans la rue. S'il n'y avait le jardin, elle aurait sûrement oublié ce qu'est le jour.

– Papa ! Papa ! On a un copain !..., commence Rachid.

Zouina, paniquée, lui fait les gros yeux, regarde fixement chacun des trois enfants, et pose fermement un doigt sur sa bouche.

– Le copain, il n'a même pas écouté mon histoire ! lâche Aïcha en haussant les épaules. C'est un peureux ! Normal, c'est un fils de Français !

Pour une fois, Zouina bénit l'intervention de sa belle-mère.

Quand il a fini son café, Ahmed signifie à Zouina d'avancer le fauteuil. Les mains tremblantes, elle se dépêche d'obéir et retourne s'adosser à l'évier.

– *Yema*, lance Ahmed, viens t'asseoir ici !

Aïcha redresse la poitrine, se lève lentement de sa peau de mouton et vient s'asseoir dans le fauteuil dont le bras manquant lui permet de bien caler son imposant postérieur.

– *Yema*, demain, c'est dimanche.

– *Ramdoullah !* répond Aïcha.

– Je vais pas travailler...

– C'est bien, dit Aïcha.

– Je t'emmène avec le Pologne... On va là-bas, à la campagne, chez un Marocain, choisir le mouton de l'Aïd.

– Un Marocain ? s'indigne Aïcha. Y a pas d'Algériens ?

– Ben non, il n'y a pas d'Algériens.

Aïcha se relève lourdement du fauteuil.

– Tu fais comme tu veux, mon fils, mais moi je te dis que le meilleur mouton, c'est l'algérien !

Ahmed jette à sa mère un regard décontenancé.

– De toute façon, grogne-t-il, les moutons, ils sont français !

Quant à Zouina il y a bien longtemps qu'elle ne s'est pas sentie aussi légère.

C'est encore le matin, celui du premier dimanche. Comme chaque jour, Zouina s'est levée la première. Comme chaque jour, elle va d'abord dans le jardin.

Tout est calme. Des deux côtés, rien ne bouge. Les Donze dorment. Nicole dort. C'est vrai qu'elle est rentrée tard, cette nuit ; Zouina a entendu la voiture qui la ramenait.

Elle se dirige vers l'appentis, là où est apparu le voile. Y aura-t-il un autre signe aujourd'hui ?

Cette famille algérienne, qui vit dans la même ville, ces heures de liberté qu'elle aura, tout à l'heure, quand Ahmed ira avec sa mère, choisir le mouton de l'Aïd, elle est sûre que ce sont des signes. Sa mère la protège, lui envoie des messages...

Bouïra... C'est un nom qui ne lui est pas

inconnu. Des Bouïra vivaient près de chez elle. Il y a longtemps – avant la naissance d'Amina –, elle a entendu parler d'un fils Bouïra parti travailler en France. Se pourrait-il que ce soit le même ?

Le copain de Nicolas avait parlé d'une famille. La femme de Bouïra avait dû le rejoindre, tout comme Zouina. Elle l'aidera, c'est sûr. Elle l'aidera parce qu'elle la comprendra.

Avant de rentrer, elle se retourne une dernière fois, fixe à nouveau l'appentis et prend sa décision : elle cherchera les Bouïra, et elle les trouvera coûte que coûte.

Bouïra... Bouïra..., dit la voix... Zouina prépare le repas. Bouïra... La table est débarrassée. Bouïra... Bouïra... Les assiettes sont sur l'étagère. Bouïra... Bouïra... Les enfants lisent, écrivent, dessinent...

Inch'Allah dimanche !...

Aïcha a changé de foulard supérieur, elle a relevé le contrefort de ses pantoufles qui redeviennent des chaussures. Elle sort de son corsage une feuille de noix séchée, frotte ses gencives et se contemple dans la petite glace, qu'Ahmed laisse toujours à côté du blaireau. Le flacon d'eau de rose refermé reprend sa place dans la valise, la valise est bouclée, la clé rejoint les autres, dans l'imposant trousseau.

Les trois enfants regardent leur grand-mère qui se prépare à sa première sortie dans « la France ».

– Travaillez ! ordonne Djedda Roula en découvrant des gencives rouges.

Terrorisés, les enfants piquent du nez.

Dehors, on entend la camionnette du Pologne.

Ahmed se tient debout, tout droit, près de la table et fixe Rachid.

– Quand je suis pas là, c'est toi l'homme de la maison, déclare-t-il gravement. Il y a Dieu, que tu crains. Il y a moi. Et puis, il y a toi, qui te fais craindre. Compris ?

– Compris ? répète en écho la voix d'Aïcha.

– Oui, oui..., balbutie Rachid, terrorisé par l'importance de sa mission.

A peine la camionnette a-t-elle tourné l'angle de la rue que Zouina escalade les marches de l'escalier, saisit son gilet et son foulard, enfile ses chaussures à talons, et fait mettre leurs vestes aux enfants.

– Mais qu'est-ce qu'on fait, maman ? demande Rachid.

Sans répondre, Zouina, d'une main ferme, pousse les enfants vers le fond du jardin, où un petit portail ouvre sur le chemin qui longe l'ancienne usine.

– Mais... on doit pas aller ici ! Papa il a dit : l'usine, elle est cassée ! s'écrie Rachid.

– Maman ! Maman ! On n'a pas le droit ! Papa va encore te frapper ! supplie Amina.

– Ça suffit ! ordonne Zouina aux enfants qui s'arrêtent, ébahis par la fermeté du ton.

Et, profitant de leur ahurissement, elle ajoute :

– Il doit pas savoir ! Jamais !...

Faisant glisser l'ongle de son pouce sur sa gorge, plusieurs fois, elle fixe tour à tour chacun des trois enfants.

– Sinon, il me tuera, comme Djedda Roula, et le sang va couler !

Elle s'interrompt quelques secondes pour

leur laisser imaginer la scène, et reprend, d'une voix euphorique qu'ils ne lui connaissent pas :

– On va chez les Bouïra !

Ils se mettent en route. Leur pas est maintenant aussi décidé que celui de leur mère.

Au bout du chemin de terre, à perte de vue, et de tous côtés, de vastes champs se déploient sous le ciel bleu.

« Bouïra... Bouïra... » Illuminée, guidée par l'appel de la voix, Zouina donne l'impression de voler, même si ses pieds s'enfoncent dans la terre grasse et humide qui macule les hauts souliers blancs. Parce qu'il avance moins vite que les autres, elle prend le petit Ali dans ses bras, le cale sur sa hanche. Elle ne sait pas où elle va, ne s'est jamais demandé où se trouvait la rue des Alouettes, ne s'inquiète pas de tourner le dos à la ville. Elle marche, elle va.

– Vite ! Vite ! Il faut faire vite !

L'air frais pénètre ses narines, elle hume à pleins poumons les odeurs portées par le vent, se baisse pour ramasser une feuille, l'approche de son visage, en chatouille le nez d'Ali, qui éternue, puis la froisse dans sa main, la porte à ses narines, comme elle faisait jadis avec le jasmin : les feuilles d'ici ne sentent rien.

Soudain, Zouina écarquille les yeux, se fige et dépose Ali.

Devant elle, aussi loin que porte le regard, des croix se dressent vers le ciel. Des centaines et des centaines de croix blanches.

– On est arrivés ? demande Rachid.

– Ils sont où, les Bouïra ? interroge Ali, d'une toute petite voix.

– Allez les chercher ! ordonne Zouina en faisant un geste large de la main.

Rachid s'élance, aussitôt suivi par Ali et Amina, et ils commencent effectivement à chercher, derrière les croix. Une folle angoisse saisit Zouina. Comment a-t-elle pu aboutir dans ce cimetière ? Elle regarde autour d'elle, accablée, prisonnière de ce labyrinthe de mort. Elle s'est perdue, jamais elle ne retrouvera la maison.

Glacée, tremblante, incapable d'avancer, elle se mord la main jusqu'au sang. La douleur lui arrache un gémissement, et soudain elle sursaute : une main vient de se poser sur son épaule.

Zouina se retourne vivement et recule. Comme sortie de terre, une femme, tout de noir vêtue, portant des lunettes aux verres fumés, un chapeau noir et des gants noirs, se tient devant elle.

– Allons, allons, il ne faut plus pleurer ! Cela fait de la peine aux défunts ! dit l'apparition.

Pour augmenter la terreur de Zouina, elle tient en laisse un bouledogue aux crocs baveux qui hoche la tête comme pour approuver les propos de sa maîtresse.

– Mme Manant, se présente la nouvelle venue. Et voici Simca. C'est une chienne très gentille.

– Je... Je suis perdue..., bredouille Zouina. Je cherche les Bouïra.

– Les Bouïra ?

La femme en noir regarde les tombes et paraît réfléchir, comme si elle était la gardienne de ce lieu.

– Oui ! Les Bouïra d'Algérie ! insiste Zouina.

– Ah ! ils sont d'Algérie, eux aussi ! s'écrie la femme, dont la voix s'est subitement altérée. Mon Dieu, mon Dieu, c'est incroyable...

Elle s'interrompt quelques secondes, enlève ses lunettes, tourne vers Zouina un profond regard sombre.

– C'est vraiment extraordinaire, cette coïncidence... Vous savez, lors des événements – enfin de la guerre –, mon mari, le colonel Manant, avait été appelé en Algérie pour servir la nation, tout comme son grand-père, qui avait été autrefois compagnon d'armes du général Bugeaud ! C'est une tradition chez les Manant !

Son visage s'illumine un bref instant, puis se ferme.

– C'est en Algérie que j'ai perdu mon cher Henri... Nous venions juste de nous marier. Je l'avais suivi là-bas, comme toute femme d'officier se doit de le faire.

Mme Manant passe sur son front sa main gantée. Les enfants reviennent.

– Maman, maman, je trouve pas ! pleurniche Ali.

– On peut promener le chien ? demande Rachid.

– Mais bien sûr ! répond Mme Manant en

lui tendant la laisse. Allez, Simca, va jouer avec les enfants !

Le bouledogue démarre à fond de train, les enfants à ses trousses. Zouina et Mme Manant avancent entre les croix.

– J'ai tout de suite aimé l'Algérie ! reprend la dame en noir dont les yeux s'embuent de larmes. Et pourtant, quelques semaines après notre arrivée, Henri est parti, un matin... Je ne l'ai jamais revu... Un attentat, m'a-t-on dit. On n'a pas retrouvé son corps !

Zouina reste silencieuse. Elle connaît ces histoires, elle ne connaît qu'elles.

– Enfin, si..., ajoute Mme Manant dont la voix se brise. On m'a rapporté une main. Une très belle main, d'ailleurs.

Brusquement, ses yeux se fixent sur l'une des croix et elle s'écrie :

– C'est là qu'Henri doit reposer, comprenez-vous ?

Elle se tourne vers Zouina, les yeux hallucinés, et poursuit, d'une voix emphatique :

– Il faut que sa dépouille soit ensevelie dans cette terre picarde où tant d'hommes valeureux ont donné leur vie pour l'honneur de leur pays, pour la France ! Il le faut...

Zouina la regarde, regarde les croix, regarde sa montre. Des gouttes de sueur perlent à son front.

– Je ne sais pas pourquoi je vous dis tout ça, conclut l'autre. Mais voilà que nous nous rencontrons ici, que vous me parlez de l'Algérie... C'est vraiment incroyable, et...

Le hurlement d'un klaxon, suivi d'un brutal coup de frein, l'empêche de poursuivre. Elle lâche la main de Zouina, qui se précipite, en courant, vers l'entrée du cimetière. C'est là-bas que l'accident s'est produit.

Un convoi militaire, composé de trois camions et de deux jeeps, vient de stopper net. Un gradé descend de la première jeep, poussant devant lui les trois enfants qui sanglotent, et se précipitent vers leur mère.

– Que s'est-il passé ? demande Mme Manant.

– Il y a eu un accident, madame ! répond l'officier, embarrassé. C'est-à-dire... le chien a eu un accident... Il... Il est mort.

– Simca ! Oh ! non, pas elle ! gémit Mme Manant, dont les jambes se dérobent et qui s'évanouit.

Lunettes et chapeau roulent aux pieds de Zouina, qui se penche sur la veuve et cherche à la ranimer par de petites claques sur les joues.

– C'est rien, madame, c'est pas les enfants ! C'est le chien ! C'est pas grave ! balbutie-t-elle maladroitement.

Le gradé écarte Zouina.

– Allez, on l'emmène aux urgences ! ordonne-t-il au conducteur de la deuxième jeep en soulevant d'une main ferme la femme inconsciente qu'il dépose sur la banquette arrière.

Puis il fait signe à Zouina de le suivre. Elle et les enfants s'entassent dans l'autre voiture. Le convoi redémarre.

– On vous dépose où, avec le chien ? demande l'officier.

Zouina ne sait pas, elle ne sait plus rien, ne comprend plus rien, sinon qu'elle est maudite, que les coups vont encore pleuvoir, qu'elle ne trouvera pas les Bouïra, qu'elle ne reverra jamais son pays, qu'elle...

Rachid donne l'adresse au militaire.

Quand la jeep s'arrête devant la maison, Zouina descend précipitamment, tête baissée, joues en feu. Elle est certaine que tout le monde la regarde, et elle a le temps de surprendre le regard incrédule de Mme Donze, qui a ouvert sa fenêtre en entendant le convoi s'arrêter et regarde la scène avec des yeux effarés.

Zouina ouvre la porte et se dépêche de faire entrer les enfants pendant que l'officier dépose le corps du chien, enveloppé dans une couverture kaki, à l'entrée du couloir, avant de disparaître.

– Elle est morte, la dame ? questionne Amina.

– Et le chien, il est mort, lui aussi ? demande Rachid.

– Taisez-vous ! s'écrie Zouina. Allez, vite, ils vont revenir ! Elle va m'égorger !

Elle pousse vivement les trois enfants dans la cuisine. Tous enlèvent leurs chaussures boueuses et reprennent leurs places autour de la table. Pendant qu'ils fouillent dans leurs cartables, Zouina se précipite dans le couloir et traîne la couverture kaki jusqu'au monticule de terre du jardin, tout au fond, où elle la cache derrière la lessiveuse. Elle n'aurait jamais cru qu'un chien mort pesait si lourd.

– Ça y est, le chien, il est parti ! déclare-t-elle en rentrant dans la pièce.

Elle ramasse en hâte les chaussures, celles des enfants et les beaux escarpins blancs couverts de boue, et les passe rapidement sous l'eau, puis monte l'escalier quatre à quatre, enfile sa robe longue et redescend.

Il était temps. La camionnette du Pologne vient de s'arrêter devant la maison. Zouina essuie son front emperlé de sueur. S'apercevant qu'elle a gardé son foulard, elle l'enlève précipitamment et le fait disparaître dans sa poitrine à l'instant même où la porte d'entrée se referme en claquant. Le cœur battant, le souffle court, elle attend.

– Mais qu'est-ce qui se passe, ici ? Qu'est-ce qu'il y a ? demande Ahmed, surpris de retrouver la maisonnée aussi calme que lorsqu'il est parti, les enfants à la table, Zouina appuyée contre l'évier, exactement comme si le temps s'était arrêté pendant toutes ces heures.

Aïcha fait quelques pas en reniflant, les narines grandes ouvertes, puis fonce sur la cuisinière, soulève le couvercle de la marmite et pousse un cri de stupéfaction et de rage.

– Y a rien !... Elle a pas préparé le dîner !

Zouina s'accroche à l'évier comme à la proue d'un navire qui va sombrer.

– Mais qu'est-ce qui s'est passé ?

Ahmed fixe intensément Rachid, qui s'agite sur sa chaise.

– Je suis malade ! balbutie Zouina, d'une petite voix.

C'est vrai qu'elle se sent défaillir... Ses jambes se dérobent sous elle, sa main glisse sur le rebord de l'évier, et elle fait brutalement tomber le verre qui contient le blaireau d'Ahmed et va se briser sur le carrelage.

– Mais qu'est-ce qui t'arrive ? demande Ahmed.

– Ramasse ! ordonne Aïcha.

Zouina se baisse pour ramasser les bouts de verre, aidée par Amina, pendant que Rachid, bravement, tente de faire diversion.

– Il est comment le mouton, papa ? demande la petite voix d'Ali.

Ahmed hoche la tête. Il ne comprend rien à ce qui se passe, mais sent qu'il devrait faire quelque chose. C'est dimanche, après tout, le jour où il est là. Il va chercher l'ampli et la guitare ; bientôt les premières mesures d'*Apache* résonnent dans la pièce.

Quand arrive le sixième accord, celui sur lequel il se trompe toujours, personne n'a envie de sourire.

Zouina a attendu d'être sûre que tout le monde dormait profondément. Alors seulement, elle s'est levée, a gagné le jardin que la pleine lune éclaire presque comme en plein jour.

Un bruit venu du jardin des Donze lui fait tourner la tête. Zouina pousse un cri, qu'elle étouffe aussitôt de sa main : le coq décapité a retrouvé sa tête, et la fixe de ses yeux peints, terribles. Derrière lui, les massifs de fleurs forment un bouclier inquiétant.

Revenue de sa terreur, Zouina avance prudemment vers le monticule de terre. Elle a l'impression que le coq épie chacun de ses mouvements.

Cela va durer trois heures. Trois heures durant, à l'aide d'une vieille pelle trouvée dans l'appentis, elle creuse la terre derrière le monticule en friche. De temps en temps, épuisée, elle se redresse, pose ses mains sur ses hanches, respire profondément pour se donner du courage.

Un nouveau bruit lui fait lever la tête vers les fenêtres cassées de l'usine.

– *Yema ! Yema !*

Zouina tourne sur elle-même. Une fois encore, elle a l'impression de sentir la présence de sa mère.

– *Yema...*

Elle supplie le ciel de lui envoyer un nouveau signe, n'importe lequel, elle saura le déchiffrer. Mais le ciel reste vide, et Zouina se remet à creuser. Elle creuse avec une telle violence, un tel acharnement, que le manche de la pelle se brise. De ses deux mains, de ses ongles, de tout son désespoir, elle creuse et creuse encore jusqu'à obtenir une profondeur assez large. C'est énorme, un chien.

Zouina tire péniblement la couverture au fond du trou et, dans l'effort, tombe elle-même, se retrouve collée au cadavre du chien, se relève avec effroi, pousse, tire de toutes ses forces, et s'extirpe enfin de la fosse qu'elle se hâte de combler de toute la terre qu'elle avait enlevée. Haletante, elle s'essuie le front. Un bruit, encore. Elle se retourne. Mme Donze, à sa fenêtre, fait des signes de croix désespérés avant de s'effondrer, entraînant dans sa chute les fleurs du rideau.

C'est la dixième fois ce matin que Zouina se lave les mains ; elle croit toujours y voir de la terre. Et que dira Aïcha quand elle verra ses ongles cassés ?...

Ali et Rachid descendent bruyamment les escaliers, Amina arrive la dernière et lève des yeux inquiets vers sa mère. Puis les enfants se rangent sagement devant elle, les trois petites motos prêtes à prendre le départ.

Zouina s'approche d'eux et pose à chacun un doigt sur la bouche, qu'elle appuie de toutes ses forces.

– Chut !... Il ne faut rien dire ! Sinon...

Ahmed, qui s'apprête à sortir derrière eux, se ravise soudain et sort de son porte-monnaie un billet de dix francs qu'il tend à Zouina.

– Ce soir, je reviens tard ! dit-il. Tu vas aller

à l'épicerie. Tu prends le pain et le lait. Tu ne perds pas le billet, hein ? C'est dix francs, ça, tu vois. Dix francs. Et tu me rends la monnaie !

– Mais c'est où, l'épicerie ? demande Zouina, affolée.

– En bas de la rue, tu suis le trottoir de la maison, tu tournes, c'est l'épicerie !...

C'est tout ce qu'il dit. La porte claque. Zouina soupire, mais c'est de soulagement. Elle a besoin d'être un peu seule et ne peut l'être qu'avant le réveil de la vieille qui, par chance, se lève tard.

De la porte du jardin, elle observe le monticule qui paraît déjà s'être tassé. Il y a pourtant bien là un chien mort, enfoui sous la terre qu'elle a creusée cette nuit de ses mains.

– Dites ! Je vous ai vue creuser !

Zouina fait un bond en arrière. La tête couverte de bigoudis de la Donze s'agite au-dessus de la haie.

Le cœur de Zouina bat à tout rompre. Elle ferme les paupières, ses jambes vacillent. Quand elle ouvre à nouveau les yeux, elle rencontre le regard de Mme Donze, dans lequel passe un mélange de suspicion et de crainte.

– Vous allez le faire, le concours ?

– Le concours ? bredouille Zouina. Non ! C'est d'la menthe ! Je fais pousser d'la menthe !

Elle a dit cela comme elle aurait dit n'importe quoi, mais puisqu'elle l'a dit, elle ajoute, très ferme :

– La menthe, c'est la nuit !

– La menthe ? répète Mme Donze, d'abord incrédule.

Elle regarde ses fleurs, complètement affolée.

– Mais ça va envahir mon jardin ! C'est comme du chiendent, ça !

– Du... chien ?

Zouina tourne les talons, s'engouffre dans la maison.

Le bas de la rue, a dit Ahmed. Le bas de la rue, c'est le bout du monde. Zouina récapitule : d'abord, enfiler les chaussures à talons, mettre la veste, le foulard, vérifier qu'elle a bien le billet, et oublier tout le reste, oublier le chien mort, la Donze aux yeux de folle...

Sur le seuil, un étourdissement la prend. Elle est seule, elle va aller seule dans la rue ! Zouina réalise à peine qu'elle va effectuer ses premiers pas en France.

Timidement, elle pose un pied sur le trottoir, puis l'autre, longe soigneusement le mur, et dès qu'elle aperçoit un passant venant dans l'autre sens et qu'elle risquerait de croiser, elle traverse précipitamment la rue.

Tout en marchant, elle compte les jours qui la séparent de la fête : il faut absolument qu'elle retrouve les Bouïra à temps. Et si le copain Nicolas s'était trompé ? S'il n'y avait pas de Bouïra ?

Cette boutique-là, c'est l'épicerie. Elle vient juste d'ouvrir, et Zouina regarde un moment les étals du trottoir, les fruits et les légumes soigneusement rangés. Certains sont tellement brillants qu'ils paraissent irréels.

Zouina jette un coup d'œil rapide à l'intérieur de la boutique, hésite, se décide à rentrer, et se retrouve devant un étalage de viande rouge.

– Comme d'habitude, madame Lunnie ? demande l'épicier à une femme qui attend, son cabas à la main, devant les quartiers de viande.

Sans un regard pour Zouina fascinée par la profusion et la variété de son étal, il prépare un rôti, avec des gestes rapides et précis.

– Vous m'en direz des nouvelles, madame Lunnie !

Puis, se tournant vers Zouina, qu'il paraît enfin découvrir :

– Et la petite dame, qu'est-ce qu'elle veut ?

– Un... un petit bout de..., balbutie Zouina en jetant des regards rapides aux morceaux de viande qui s'alignent devant elle. Un petit bout de bœuf.

– Et dans quoi elle le veut, son petit bout de bœuf ? insiste l'épicier. Dans le filet, dans l'araignée ?

– Dans le bœuf ! répond fermement Zouina, vexée.

– Bon, ça va, le bœuf, on a compris ! fait l'épicier, narquois.

Une petite femme au visage plat arrive à la rescousse et, adressant un grand sourire à Zouina :

– Laisse ! Je m'en occupe ! Pousse-toi ! Alors, qu'est-ce qu'elle veut ? Deux, trois, quatre steaks ?...

Zouina ne trouve plus ses mots, fait oui de la tête. Jamais Ahmed n'avait parlé de bœuf.

– Et ensuite ? demande l'épicière en essuyant ses mains sur son tablier.

– Le pain... le lait..., bredouille Zouina.

L'épicière lui tend une bouteille de lait.

– Le pain, c'est à la caisse. Bon, alors, les steaks, le lait, le pain... Ça vous fera trente-quatre francs, annonce-t-elle.

Zouina reste plantée devant la caisse, étourdie par tout ce qui vient de se passer. L'épicière lui sourit de nouveau.

– Vous êtes la nouvelle, c'est ça ? C'est vous qui restez en haut, à côté des Donze ?

Zouina incline la tête en lui rendant son sourire, sort de sa poitrine, où elle l'avait rangé, le billet fripé, et le tend à l'épicière.

– C'est là qu'elle met son argent, elle ? s'exclame celle-ci, interloquée. Trente-quatre francs. C'est pas assez, hein, ce qu'elle a là, dix francs.

Zouina, de nouveau, sent la panique s'emparer d'elle, mais l'épicière saisit un grand carnet, posé près de la caisse.

– Bon ! dit-elle. Je vais vous ouvrir un compte ! C'est comment votre nom ?

– Zouina...

– Bon... Alors on a dit trente-quatre ! On est le 12, aujourd'hui. M. Zouino, il viendra régler, le 30. D'accord ?

Zouina esquisse un pauvre sourire en entendant Ahmed qualifié de « M. Zouino ».

– Tenez, la promotion du jour c'est cinq paquets de macaronis...

Joignant le geste à la parole, elle enfourne les paquets de pâtes dans le filet.

Zouina en profite pour s'éclipser. Une fois sur le trottoir, elle reste un moment à regarder, ahurie, le filet qui pend au bout de son bras et renferme les provisions, comme s'il contenait de la dynamite.

Derrière elle, un bruit qu'elle commence à reconnaître : celui du bus qui remonte lentement la rue avant de s'arrêter juste en face de chez elle. Elle a l'impression qu'il roule à la vitesse de son pas à elle, qu'il la suit doucement.

Zouina presse l'allure ; ses talons résonnent sur le trottoir. Le chauffeur accélère un peu, la dépasse, tourne la tête vers elle et lui adresse un sourire auquel elle ne répond pas.

Les provisions rangées, Zouina a allumé la radio – doucement, pour ne pas faire descendre Aïcha qui est toujours dans sa chambre – et s'est mise à éplucher des pommes de terre.

« Bonjour, Ménie... », dit une voix de jeune fille dans le poste.

Zouina sourit. C'est comme si on lui parlait à elle.

« On dit souvent que l'amour n'a pas d'âge... », poursuit la jeune fille.

Elle hésite, s'arrête. Une voix de femme plus âgée l'encourage :

« Allez-y, continuez, chère auditrice ! Je vous écoute...

– Eh bien... j'avais quatorze ans lorsque j'ai rencontré le grand amour... Il était beaucoup plus âgé que moi ; il était marié, avec deux enfants... »

Les gestes de Zouina deviennent plus secs, plus nerveux. Elle s'acharne sur l'œil d'une pomme de terre en imaginant qu'il s'agit d'un des yeux d'Aïcha.

« Je n'ai jamais osé le lui dire ! » s'écrie la jeune fille, qui semble le regretter.

Brusquement, Zouina éteint le poste. Elle a l'impression que quelqu'un vient de frapper, de gratter doucement à la porte du jardin. Elle blêmit : personne ne peut venir par là. Est-ce que le chien serait sorti de sa fosse et demanderait à rentrer ? Elle s'attend sans arrêt à un événement de ce genre.

Elle est à peine moins stupéfaite de voir apparaître Nicole, fraîche et vive comme le matin même, dans un pantalon et un pull-over vert amande assortis.

Devant l'air ahuri de Zouina, elle explique en riant :

– J'ai enjambé le grillage, je ne voulais pas sonner. (Et, secouant un sac de papier kraft :) Tiens, je t'ai apporté un cadeau !

– Un cadeau, pour moi ? balbutie Zouina, intimidée.

– Ben oui, quoi, pour toi !

Zouina prend le paquet, plaque un gros baiser sur la joue de Nicole.

– Regarde ! dit celle-ci.

Ouvrant le paquet, elle en sort un tube de rouge à lèvres.

– Tu vois, sourit-elle, c'est le même que le mien.

Plongeant à nouveau la main dans le paquet, elle en sort une boîte de poudre qu'elle ouvre délicatement, tout en montrant à Zouina le petit miroir qu'elle contient. Puis elle passe son doigt sur la poudre et l'applique en riant sur la joue de Zouina.

– Et le chic du chic ! annonce-t-elle. Je t'ai trouvé un flacon de « Nuit d'ivresse »...

Nicole exhibe un petit flacon de parfum bleu foncé, avec des dorures et un joli bouchon. Zouina l'ouvre délicatement et, devant le sourire encourageant de Nicole, le porte à ses narines. Elle ferme à demi les paupières, étourdie, grisée par cet instant de plaisir. Une larme glisse sur sa joue.

Le pas lourd d'Aïcha résonne à l'étage. Zouina, affolée, ramasse en hâte tous les cadeaux, grimpe sur une chaise et dissimule le paquet tout en haut du placard, derrière une valise d'Ahmed.

– Elle est très méchante ! s'exclame-t-elle en jetant un regard angoissé vers le plafond. Si elle trouve tout ça, elle va me tuer !

– Te tuer ? Tu exagères ! Moi aussi, j'ai connu ça, le mari, la belle-mère, mais ça n'est jamais allé jusque-là...

Zouina se tient debout contre la table et mord nerveusement l'intérieur de ses joues. Elle comprend ce que veut dire Nicole ; elle sait aussi qu'elles ne parlent pas des mêmes choses.

– Ça n'a pas été facile ! explique Nicole en sortant de sa poche une cigarette qu'elle mordille, sans l'allumer. Il a fallu que je quitte mon travail, mon quartier, ma ville... C'est comme ça que je me suis retrouvée ici... Et, il y a un an, j'ai décidé de fonder cette association pour femmes seules. Pour l'instant, on n'est que quatre, mais...

L'expression tragique de Zouina l'arrête tout à coup.

– Elle va faire venir la deuxième épouse ! dit celle-ci à voix basse en levant les yeux vers l'étage.

– Quoi ? La deuxième épouse ? Qu'est-ce que c'est que ça ?

Nicole regarde fixement Zouina, hausse les épaules.

– Mais il n'a pas le droit ! s'exclame-t-elle.

– Oui ! il a le droit ! Il a droit à quatre femmes. Et moi, je suis la première. Alors...

– Mais c'est pas vrai ! s'écrie Nicole. Quatre femmes ! Comme les Africains ! Eh bien... Quand je vais raconter ça aux filles de l'association, elles ne vont jamais me croire !

Zouina ne l'écoute plus. Elle épie les bruits qui viennent de là-haut, mais Aïcha a interrompu sa déambulation.

– Tu sais, Zouina, tu devrais lire ce livre... Comment c'est le titre, déjà ? Il y a « sexe » dedans... Tu vois pas ? C'est une femme qui l'a écrit. Elle vit avec un écrivain, mais ils sont pas mariés, ils vivent en ménage... Ça fait un moment que je l'ai lu... Je ne saurais pas te dire les mots exacts, mais ce que j'ai compris c'est que mon corps m'appartient ! Le tien aussi. Tu comprends, Zouina, ton corps t'appartient !

Zouina essuie vigoureusement le soupçon de poudre dorée sur sa joue.

– Elle vient ! Elle descend ! Pars ! Pars vite ! s'écrie-t-elle, la poussant vers la porte.

Dès que Nicole a disparu, Zouina jette un dernier coup d'œil à sa cachette, s'assoit à la table de cuisine, reprend la pomme de terre qu'elle épluchait. Son corps ne lui appartient que pour chasser ses amies.

Et tout d'un coup, Aïcha est là, qui hume l'air d'un nez inquisiteur en reniflant les relents du parfum de Nicole. Avec un regard accusateur à Zouina, elle se dirige vers sa valise, en sort la bouteille d'extrait de rose et vérifie que le bouchon n'a pas été ouvert. Puis, haussant les épaules, elle se laisse tomber sur sa peau de mouton. Des coups à la porte d'entrée la font aussitôt se relever. Zouina s'est déjà précipitée, mais Aïcha ne veut pas rater une occasion de prendre sa belle-fille en faute.

– Qui c'est ? demande Zouina d'une voix qui laisse percer son inquiétude de voir apparaître les gendarmes ou les Donze, l'armée tout entière ou la mort elle-même sous la forme d'un grand chien.

– Qui c'est ? répète Aïcha en écho.

Entre l'inconnu derrière la porte et sa belle-mère serrée contre elle, Zouina se sent cernée, étouffée.

– Bonjour, madame ! fait une voix d'homme d'une excessive jovialité. Écoutez bien !... C'est un jeu !...

– Un jeu ? répète Zouina sans comprendre, tandis qu'Aïcha colle son oreille contre la porte.

– Oui, un jeu ! Écoutez-moi attentivement, je vais vous poser une question !

– C'est les Mille francs ? demande Zouina.

– Heu !... Si vous voulez ! C'est comme les Mille francs !

Et après un court silence :

– Alors, voilà la question ! Qu'est-ce qui mange la poussière, qui nettoie vos tapis et qui est l'ami de toute la maison ? C'est un... C'est un...

Les deux femmes échangent un regard perplexe.

– Je répète, reprend la voix. Qu'est-ce qui mange la poussière, nettoie vos tapis ? Un... ? Un... ?

– Un balai ! répond Zouina, tandis qu'Aïcha reste bouche bée.

– Bravo, chère madame ! En effet ! C'est un balai électrique ! Ou, si vous préférez, un aspirateur ! Allons, ouvrez vite !

Zouina entrebâille la porte d'entrée et se trouve nez à nez avec un homme aux cheveux gras, séparés en deux par une raie constellée de pellicules, et qui lui sourit de toutes ses gencives. Coinçant son pied contre la porte, il tire vivement de sa mallette un papier et un stylo qu'il agite sous le nez de Zouina.

– Bravo, madame, s'exclame-t-il, vous êtes notre gagnante du jour ! Et pourtant, ce n'était pas facile, madame. Vous n'avez plus qu'à signer là, en bas de la page, et je reviendrai ce soir avec votre cadeau !

Zouina hésite. Ses yeux vont du stylo au sourire figé de l'homme. Elle consulte Aïcha du regard, mais un geste évasif des mains noires lui indique que celle-ci ne se mêle pas des affaires de la France. Tant mieux si elles retombent sur le nez de sa belle-fille.

Zouina hésite encore, puis se décide : elle prend le stylo d'une main tremblante, et trace les lettres de son prénom, au bas de la page.

Les lettres, attachées les unes aux autres, forment une chaîne maladroite et illisible.

Aussitôt, l'homme lui arrache le papier, l'enfouit dans la mallette qu'il referme d'un coup sec. Son sourire a disparu avant lui.

L'après-midi a été presque paisible. Aïcha l'a passé sur sa peau de mouton, à préparer de la semoule ; Zouina à faire du ménage en attendant « l'ami de la maison », et à étendre du linge au jardin. A condition de ne pas regarder du côté du chien, c'est encore là qu'elle est le mieux. Les Donze ne se sont pas montrés. Zouina marque une pause. C'est la première fois qu'elle se retrouve face à l'exubérance des fleurs. Même le coq la regarde d'un air débonnaire. Un bien-être l'envahit. C'est peut-être cela le bonheur.

Plus tard – les enfants étaient revenus, puis Ahmed –, du bruit dans la cuisine l'a fait rentrer précipitamment.

Au centre de la pièce, elle voit d'abord le représentant, l'homme du jeu, qui s'agite devant un appareil dont il s'évertue à rassembler les pièces détachées. Debout, près de la table, Ahmed le regarde faire, immobile, muet. Les enfants eux aussi se taisent, comme au seuil d'un grand événement.

Zouina s'approche en souriant, heureuse et fière d'avoir gagné : le cadeau est bien réel.

L'aspirateur est monté, l'homme le branche à une prise et, dans un bruit d'enfer, dirige le tube sur les pieds d'Ahmed, sous les chaises des enfants, qui se mettent à crier, et vers la peau de mouton, obligeant Aïcha, terrifiée, à se presser contre le mur.

– Il est à vous ! déclare le représentant en arrêtant l'appareil qu'il met dans les mains d'Ahmed, avant d'agiter une feuille devant ses yeux.

– Votre femme a signé le contrat : je viens chercher la première mensualité.

– Mensualité ? répète Ahmed en fronçant les sourcils.

– Le premier des quinze versements, si vous préférez. Trois cents francs à chaque fin de mois !

– Bon ! Je... je vais réfléchir, répond Ahmed, dont les mains sont toujours encombrées par l'aspirateur.

– Ah, mais c'est tout réfléchi, cher monsieur ! s'écrie le représentant. L'aspirateur est à vous. Votre femme a signé.

Zouina se sent défaillir : elle comprend qu'elle s'est fait abuser et elle sait déjà les coups qui s'abattront sur elle dès que l'homme aura tourné le dos.

– Elle a signé ? Tu sais signer, toi ? demande Ahmed d'une voix blanche.

– Il a dit que j'ai gagné, il a dit c'est les Mille francs ! balbutie Zouina.

– Les Mille francs ? Quels Mille francs ? fait Ahmed, dépassé.

Zouina cherche des yeux un soutien, du côté d'Aïcha. La belle-mère était là, après tout, elle a tout vu, tout entendu. Aïcha détourne le regard ; jamais elle n'a été aussi accaparée par le pétrissage de sa semoule.

Les épaules voûtées, Ahmed se débarrasse de l'aspirateur, monte l'escalier et revient rapidement en tendant un billet que le représentant s'empresse de mettre dans sa poche avant de prendre congé avec force salutations.

Dès que la porte s'est refermée, Ahmed désigne l'escalier aux enfants, qui montent dans leur chambre sans un mot. Amina a juste le temps de jeter un regard inquiet à sa mère qui est restée prostrée, debout près de la table.

Zouina attend le premier coup avec une telle résignation qu'il ne la surprend même pas.

– Maudit soit le bateau qui t'a amenée ici ! rugit Ahmed en s'acharnant sur le corps de la jeune femme, recroquevillé par terre.

Dans le bruit assourdi des coups, entrecoupé de cris rauques, on entend, par intermittence, le chuintement satisfait des graines de semoule.

Parfois, lorsque Zouina a la certitude qu'Aïcha dort à l'étage, il lui arrive de danser.

Zouina tourne sur elle-même, ses pieds touchent à peine le sol, tout son corps juvénile et gracieux se tend, s'élance. C'est une danse sans musique et sans instruments, une danse de prisonnière, d'emmurée vivante, dans l'exil, loin de sa terre, loin des siens.

Zouina danse comme elle pleure.

Elle rentrait de l'épicerie, pressant le pas comme elle fait toujours, et s'apprêtait à mettre la clé dans la serrure, quand une ombre s'est détachée sur le mur.

Zouina secoue désespérément la tête, comme pour en chasser la nouvelle apparition de la dame en noir. Celle-ci n'a visiblement pas conscience de l'effroi qu'elle provoque.

– Bonjour ! Je suis si heureuse de vous revoir ! s'écrie Mme Manant. J'avais tellement hâte de connaître l'endroit où est enterrée Simca.

Zouina, affolée, met un doigt sur sa bouche. Taire, se taire, imposer silence, voilà tout ce qu'elle aura fait depuis qu'elle est en France.

– Chut ! Chut ! Ne dites rien ! insiste-t-elle avant d'ouvrir la porte et de faire entrer la visiteuse ahurie dans la grande pièce où Aïcha se tord le cou pour deviner ce qui se passe. Elle reste bouche bée en découvrant cette femme belle, élégante dans son strict tailleur noir, son chapeau noir, et qui la salue poliment. Où Zouina a-t-elle bien pu la rencontrer ?

– C'est la dame de l'épicerie, bredouille celle-ci, la voix étranglée par l'angoisse.

– Apporte le fauteuil ! ordonne Aïcha, visiblement subjuguée par la distinction de l'arrivante.

Mme Manant jette un regard autour d'elle.

– C'est très sobre, chez vous, dit-elle à Zouina, qui rapproche le fauteuil de la peau de mouton avec un petit sourire gêné. Ah ! vous avez bien raison de ne pas vous encombrer de meubles. Ce ne sont que des nids à poussière !

S'asseyant délicatement sur le fauteuil, elle sort un livre de son sac et le tend à Zouina.

– En raison de nos souvenirs communs, je vous ai apporté un beau livre sur l'Algérie !

– Ah ! tu connais l'Algérie ? intervient Aïcha, de plus en plus étonnée. Moi, je l'ai laissée, la pauvre.

Zouina prend le livre avec un signe de remerciement embarrassé, file chercher deux tasses dans le placard, les pose sur la table d'une main tremblante.

– Toi, tu me fais penser à la « colone », reprend Aïcha. Comme toi, elle est habillée...

Mme Manant lui adresse un petit sourire distant.

– A dix ans, ma mère m'envoie chez elle comme bonne, continue Aïcha. Toute la journée, j'astique, j'astique... Je fais tout dans la maison. Quand j'ai fini, je donne à manger aux animaux. Les poules, les lapins... Mais le cochon, ah ! non, jamais !

Aïcha frappe ses mains sur son cœur pour confirmer ses dires.

– Jamais elle est contente, la « colone » ! Toujours elle me frappe avec sa canne ! Sauf le jour où elle va à l'église, le dimanche...

Mme Manant, les lèvres un peu pincées, continue de sourire, et se tourne du côté de Zouina qui évite obstinément son regard.

– Et à treize ans...

Aïcha réfléchit, ouvre sa main et compte, les doigts levés.

– A treize ans, oui, mon père, il me marie au cousin Ali. Et là, c'est comme chez la « colone ». Toujours il me frappe, il frappe aussi le dimanche !

Aïcha s'interrompt, croise et décroise ses mains.

– Maintenant, *Ramdoullah*, il est mort !

Tête baissée, silencieuse, aux aguets, Zouina

sert le café. Elle est surprise aussi : jamais Aïcha n'a autant parlé d'elle-même – et à une étrangère. La vieille femme se lève en soupirant, se dirige vers le placard et commence à manipuler des clés.

Zouina s'est aussitôt approchée du fauteuil, et murmure, très vite, à l'oreille de Mme Manant :

– Ça y est, pour Simca, c'est fait. C'est bien, pour elle ! Je vous en supplie, ne dites rien ! Elle est très méchante ! Partez ! Partez ! Je vous en supplie !

Aïcha revient et tend à Mme Manant, comme un plateau, la paume de sa main sur laquelle se détachent, très blancs sur le fond noir, trois morceaux de sucre.

– Tiens ! ordonne-t-elle.

– Merci, madame, jamais de sucre ! répond Mme Manant qui avale en vitesse une gorgée de café et se lève. Je suis au regret de devoir partir, dit-elle en tendant à Aïcha sa main de nouveau rapidement gantée. Au revoir, madame, et à bientôt !

Zouina s'essuie machinalement les mains et s'avance vers le couloir.

– Écoutez, Zouina..., chuchote Mme Manant avec un regard implorant dès qu'elles sont arrivées à la porte, il faut que l'on se parle ! Je pense que vous serez plus à l'aise chez moi. Vous pouvez sortir ? Vous n'êtes pas séquestrée tout de même ? Venez me voir demain. J'habite près de l'épicerie... La grande maison qui fait l'angle.

– Non ! Non ! Pas demain ! Dimanche !

– Bon ! Alors, à dimanche ! Vous me direz tout, n'est-ce pas ?

De retour dans la pièce, Zouina reste en arrêt devant la grimace dégoûtée d'Aïcha qui recrache la gorgée de café qu'elle vient de boire dans la tasse à moitié pleine de la visiteuse.

– Bah, ces Françaises ! C'est du poison ! lâche-t-elle.

Le reste de la phrase se perd dans une série de commentaires injurieux sur le café amer, les jeunes Françaises qui parlent trop, qui sortent nues dans la rue et qui fument, les vieilles Françaises qui montrent leurs culottes, et les « colones » qui frappent toujours leurs bonnes.

C'est dimanche. La camionnette vient d'arriver, la porte d'entrée claque. Ahmed et Aïcha sont repartis à la recherche du mouton.

Foulard, gilet, chaussures à talons : en un éclair, Zouina est prête.

– Allez, les enfants, dépêchez-vous ! Vite !

Aucun d'eux ne bouge, c'est comme s'ils étaient collés à la table. La hâte de leur mère les panique.

– Je veux pas y aller ! pleurniche Ali.

– Je vais le dire à papa ! proteste Rachid.

– Je t'en supplie, reste à la maison maman ! dit Amina.

Zouina n'avait pas prévu cette révolte. Elle n'a pas le temps de les écouter.

D'une main ferme, leur mère les a conduits jusqu'à la porte.

D'abord traînant les pieds, ils sont obligés de suivre la cadence précipitée des talons. Zouina descend la rue en courant, elle avance, les yeux brillants, comme guidée par cette étoile qui lui indique le chemin.

L'épicerie est vite dépassée. Zouina fixe le bout de la rue et s'écrie :

– On est arrivés !

La maison de Mme Manant se repère facilement : c'est la plus grande, la plus belle du quartier. Zouina ignorait seulement que c'était la sienne.

Au premier coup de sonnette, Mme Manant apparaît sur le perron, vêtue d'une longue robe mauve. Ali, saisi de stupeur, tire craintivement sur la jupe de sa mère.

– Maman ! Maman, j'ai peur ! C'est le fantôme !

Zouina lui donne une petite claque sur la tête et fait avancer Rachid et Amina qui n'en mènent pas large non plus, mais ne disent rien.

Tout sourires, Mme Manant vient leur ouvrir le portail et les fait entrer dans la maison dont la porte d'entrée se referme avec un grand bruit.

Ali serre plus fort la main de Zouina.

– Entrez ! Entrez ! Venez donc vous asseoir au salon ! dit Mme Manant en les poussant vers une pièce où trônent un canapé de cuir et une table basse sur laquelle sont disposés trois jus d'orange et un service à café en argent.

– Maman ! Maman ! Je ne veux pas voir le chien ! continue de geindre Ali.

Et tandis qu'il continue à fixer Mme Manant en tremblant, une petite flaque apparaît autour de ses chaussures. Zouina, paniquée, sort un mouchoir de son corsage et tapote le pantalon d'Ali pour tenter de réparer l'incident.

– Écoutez, madame, balbutie-t-elle entre deux sanglots d'Ali, je n'ai pas beaucoup de temps pour retrouver les Bouïra !... Mon mari va bientôt revenir et dimanche prochain, dès qu'ils auront ramené le mouton, ma belle-mère va rester à me surveiller ; je ne pourrai plus sortir !

– Oui, oui ! Les Bouïra ! Bien sûr, bien sûr ! s'écrie Mme Manant d'un ton un peu excédé par les pleurs du petit.

Et devant le regard de détresse de Zouina, elle ajoute :

– Les enfants, pourquoi n'allez-vous pas jouer au jardin ?

Sur un signe de leur mère, les enfants se résignent à suivre le fantôme mauve qui leur ouvre la porte-fenêtre. Ali ferme lentement la marche en écartant les jambes.

Zouina en profite pour examiner la pièce où elle se trouve. Sur les murs, sur les meubles cirés, partout, dans des cadres de tous les formats, les photos d'un homme, un militaire, seul ou au milieu d'un groupe, la poitrine bardée de décorations. Derrière lui, derrière les hommes en tenue, Zouina reconnaît les paysages algériens, la Casbah...

Elle se tasse au fond du canapé, ferme très fort les yeux, comme si elle ne voulait plus voir ces photos. C'était la guerre, elle venait d'avoir seize ans... Son père était revenu effondré. Cachée dans la cuisine, elle l'avait entendu hurler que son frère, l'oncle Moussa, avait été crucifié par les parachutistes ! Les anciens du village, qui l'avaient veillé, affirmaient qu'il ne pourrait pas entrer au paradis d'Allah, après un tel supplice. Le père avait dû accomplir tout seul la toilette mortuaire.

Zouina ouvre brutalement les yeux et se redresse. Mme Manant vient de s'asseoir en face d'elle.

– Dites-moi, ils sont toujours aussi nerveux, ces enfants ? demande-t-elle avec un petit soupir, tout en versant du thé dans les deux tasses.

Zouina garde la tête baissée et dit, très vite, la gorge nouée par l'émotion :

– Écoutez, je n'ai plus qu'une heure ou deux pour retrouver les Bouïra ! Mais je sais où ils habitent ! Au 12, 12 rue des Louettes. Il faut m'aider à les retrouver ! Il faut que vous m'accompagniez là-bas. S'il vous plaît, madame...

– Rue des Alouettes, vous voulez dire ? sourit gentiment Mme Manant. Mais oui, je vois où elle est, cette rue !

Elle avale une nouvelle gorgée de thé, puis son visage redevient grave.

– A l'hôpital, on m'a dit que vous aviez pris en charge la dépouille de Simca...

– Oui, ça y est ! assure Zouina d'une voix qu'elle s'efforce de rendre rassurante. Tout va bien, pour elle ! Là où elle est, il y a des fleurs, de la menthe...

– Ah ! je vous remercie ! Vous êtes merveilleuse !

– Je dois partir ! s'écrie brusquement Zouina en se levant.

– Vous ne prenez pas votre thé ?

– Je n'ai plus le temps ! répond Zouina en se dirigeant vers la porte du jardin pour appeler les enfants.

D'un mouvement vif, Mme Manant dépose sa tasse sur le plateau et se précipite derrière elle. Les enfants aussi n'ont fait qu'un bond, pas mécontents de vider les lieux.

Au portail, Mme Manant saisit les mains de Zouina et les retient serrées dans les siennes.

– Écoutez, dit-elle, je ne comprends pas tout... mais vous pouvez compter sur moi, dimanche. Nous prendrons un taxi. Je viendrai vous chercher, et ensuite vous me conduirez sur la sépulture de Simca, n'est-ce pas ?

Les talons de Zouina claquent déjà sur les pavés du trottoir.

Cette fois, c'est de la végétaline que l'épicière lui a refilée, « en promotion ».

Zouina secoue rageusement son filet, elle s'en veut d'être incapable de refuser. Ce serait pourtant si facile de dire : « Non ! » Zouina s'entraîne, d'abord à voix basse, puis un peu plus fort.

– Non !

Sa voix a sonné très haut dans le calme de la rue.

– Bonjour, Zouina ! Tu parles toute seule ?

Zouina tourne la tête et découvre Nicole qui pressait le pas pour la rattraper.

– Oh ! là ! là ! On dirait que tu es en colère ! Ça n'a pas l'air d'aller ! s'inquiète-t-elle devant l'expression contrariée de Zouina.

– Mais si, ça va... Tu es gentille ! Tu es comme une sœur !

Les joues de Nicole rosissent un peu, tandis qu'elles marchent côte à côte sur le trottoir.

Quand elles arrivent devant la porte de Zouina, Nicole lui saisit le bras.

– Dimanche prochain, on va danser avec les copines, dit-elle. Tu pourrais venir ?

– Non, Nicole, pas dimanche, pas dimanche ! Jamais, tu sais.

Zouina s'engouffre chez elle. Ce n'est pas ce *non*-là qu'elle voulait dire.

Les enfants ne sont pas encore revenus de l'école, Aïcha est à l'étage. Zouina est aussi libre qu'elle peut l'être. Elle répète le nom de Nicole, et c'est comme une chanson.

Montée sur une chaise, elle écarte le livre

que lui a offert Mme Manant, soulève la valise d'Ahmed, attrape le sac de papier kraft qui contient les cadeaux de son amie.

De retour à la table, elle entrouvre le paquet, sort le bâton de rouge à lèvres (le même que celui de Nicole), la poudre, le flacon de parfum qu'elle dispose délicatement près du transistor.

Avec le tube de rouge, elle maquille les courbes galbées de ses lèvres, qu'elle presse l'une contre l'autre plusieurs fois, comme elle a vu faire. Repoussant le foulard qui cache ses cheveux, elle tire une longue mèche brune qu'elle enroule autour de son doigt. Quand elle la relâche, la mèche vient frôler amoureusement sa joue. Elle ouvre enfin la petite bouteille de « Nuit d'ivresse », porte le flacon à ses narines, ferme les yeux.

Quand elle les rouvre, son reflet dans le miroir du poudrier lui montre l'image d'une autre femme. Un soupçon de poudre, une empreinte de rouge, une mèche libérée ont suffi à la métamorphose. C'est péché.

D'un geste brusque, elle se frotte violemment les lèvres avec sa manche, efface toute trace de rouge.

Zouina fait de nouveau disparaître l'Occident dans le haut du placard.

Dans le puits de farine qu'elle vient de creuser, Zouina ajoute un peu d'eau, essuie son front, où elle pose un petit nuage blanc, sourit de son geste. Tandis qu'elle roule de minces filaments de pâte sous ses doigts, le visage de Zouina s'assombrit.

Et si Mme Manant avait menti, si elle ne lui avait promis de l'aider que pour se débarrasser d'elle ? Peut-elle vraiment lui faire confiance ? La femme en noir a-t-elle bien toute sa tête ?

Ahmed, rentré encore plus tard que de coutume, jette son cartable au pied de la table, s'effondre sur sa chaise et repousse le verre de café et les trois sucres. Il a l'air épuisé.

Aïcha et les enfants ont déjà dîné et sont montés à l'étage. Zouina plonge la louche dans la marmite bouillonnante et remplit une assiette qu'elle pose devant son mari.

Elle le regarde à la dérobée : ses ongles noirs et cassés, son profil fatigué, cette nouvelle ride... Sur l'une de ses mains, elle découvre une marque rouge, comme une brûlure. Elle se souvient des photos du carton d'Ahmed et s'approche de lui. Elle voudrait lui parler, lui dire que...

Le cliquetis des bracelets, le pas lourd dans l'escalier suspendent son geste. La silhouette massive d'Aïcha s'encadre dans la porte. Visage fermé, regard sombre, elle prend une chaise qu'elle amène devant le placard, se hisse péniblement dessus et se met à fouiller dans le meuble.

Surpris par ces acrobaties, Ahmed a posé sa cuillère.

– *Yema*, fais attention ! dit-il. Tu vas tomber.

Mais Aïcha ne pense pas un instant à tomber. Jamais elle ne s'est sentie plus ferme, plus solide, et, triomphante, elle redescend de son perchoir, tenant à la main le petit sac de papier kraft.

Le sang de Zouina bourdonne à ses tempes.

– Mon fils, regarde ce qui se passe dans ton dos ! s'écrie Aïcha.

Devant Ahmed stupéfait, elle jette sur la table le livre offert par Mme Manant.

– D'abord, ce livre, je sais pas comment il est arrivé dans ta maison !

Elle ment ; elle était là quand la visiteuse l'a donné à Zouina. Mais Aïcha n'en est plus à s'embarrasser de vérité : ce qu'elle veut, c'est prendre en défaut sa belle-fille.

Ahmed s'empare du livre, tourne quelques pages. Son regard passe sans les voir sur les images d'Alger.

– Tu sais lire, toi, maintenant ? demande-t-il en se tournant vers sa femme.

Un crissement de papier l'interrompt. Aïcha ouvre le sac qui contient les cadeaux de Nicole, le lève très haut au-dessus de la table sur laquelle elle verse lentement son contenu.

– Voilà, mon fils ! Voilà avec quoi elle veut faire la Française ! s'écrie-t-elle en brandissant le tube de rouge à lèvres. Si tu tiens à ton honneur et à ta moustache, tu ne dois pas la garder !

Ahmed s'est levé ; tout son corps se déplie lentement. Il repousse son assiette, saisit le livre, s'efforce d'en arracher les pages, qui résistent, renonce, le jette à terre, balaie d'un revers de main le matériel de maquillage et son assiette de soupe, dont le contenu se répand sur le livre tombé. Il est blême.

– Mais quel diable es-tu pour me déshonorer comme ça devant ma mère ? lance-t-il d'une voix rauque.

Zouina n'a pas bougé, elle sait que c'est inutile : ce qui doit être, doit être. Ahmed lui arrache son foulard, tire ses cheveux à poignées. Zouina crie de douleur. Une gifle plus forte que les autres la fait tomber à genoux.

– Arrête, mon fils ! C'est ma faute ! Je t'ai ramené Satan ! gémit Aïcha, en égrenant son chapelet.

Mais Ahmed s'acharne, il piétine l'étui doré du bâton de rouge à lèvres, le petit poudrier, le flacon de parfum, vidé de son contenu, et décoche à Zouina un dernier coup de pied dans le ventre.

– Arrête, mon fils ! répète Aïcha qui se dresse soudain entre eux. Arrête ! Tu vas aller en prison si elle prend un mauvais coup !

Quand Zouina revient à elle, les larmes ont séché sur ses joues. Tout est calme dans la maison.

Elle se redresse, remonte ses cheveux sur le haut de sa tête, masse son crâne douloureux. Zouina voudrait mourir. Elle appelle son père pour qu'il vienne du fond des ténèbres la sortir de cet enfer.

Les larmes lui reviennent, amères, presque douces, quand elle découvre, au pied de la table, le bâton de rouge à lèvres écrasé, le poudrier et le flacon de « Nuit d'ivresse » en miettes. Seul le bouchon a échappé au désastre.

Ramassant les restes brisés des cadeaux de Nicole, Zouina se relève, ouvre violemment la fenêtre qui donne sur la rue où la nuit est tombée depuis longtemps, et jette les épaves sur le trottoir, juste au moment où Nicole s'apprêtait à rentrer chez elle.

Alertée par le bruit, elle recule de quelques pas, sort de l'ombre.

– Zouina ? C'est toi ? Qu'est-ce que tu fais ?

Son pied heurte un objet dans l'obscurité. Elle fait un pas de plus : le carré de lumière qui s'échappe de la fenêtre éclaire à la fois les débris de ses cadeaux et le visage bouleversé de Zouina à qui elle lance un regard d'incompréhension.

Zouina se contente de secouer plusieurs fois la tête, de gauche à droite, en signe d'impuissance. Plus que les cadeaux, elle en est sûre, c'est leur amitié qui vient de se briser.

La rencontre

Zouina s'est levée encore plus tôt que de coutume. Du jardin, elle a regardé les volets encore fermés de Nicole. Se rouvriront-ils jamais pour elle ?

C'est le dernier dimanche avant l'Aïd, la dernière chance de Zouina. Si elle ne retrouve pas les Bouïra, si Mme Manant lui fait faux bond, ou si le copain de Rachid s'est trompé, c'est qu'Ahmed et Aïcha auront raison, c'est qu'elle est maudite, dépossédée de son âme. Mieux vaudrait qu'elle soit morte. Si elle retrouve les Bouïra, ce sera la fin du cauchemar, ils l'aideront, la réconforteront, ils la ramèneront au pays.

Dès que la camionnette du Pologne s'est éloignée, Zouina est montée dans sa chambre. Pour ce dimanche-là, ce dimanche au bout des dimanches, elle a préparé la tenue qu'elle réservait pour le retour au pays : sa belle robe bleue incrustée d'étincelles roses qui brillent comme des flammes. Sur ses cheveux, elle a posé son foulard à feuilles rouges.

Quand elle apparaît sur la dernière marche, les enfants enfilent leurs vestes. Il y a une telle sérénité, une telle lumière sur le visage de leur mère qu'ils n'ont plus du tout peur.

– On va prendre une voiture ! annonce-t-elle.

De tout son cœur, elle espère, elle prie que ce soit vrai.

Le taxi est là, au bout de la rue. Une main gantée de noir fait signe par la portière. Zouina s'avance tranquillement. Ses pas sont mesurés, son souffle régulier.

Mme Manant a donné l'adresse au chauffeur :

– Rue des Alouettes. Au 12.

Zouina ferme les yeux, elle ne ressent plus aucune angoisse. Assis à côté d'elle, les enfants ne bougent pas : le fantôme est là, à côté du chauffeur.

La course a été longue : un quart d'heure.

– Vous êtes arrivée ! dit Mme Manant, avec un grand sourire.

De nouveau fébrile, Zouina pousse les enfants hors du taxi.

– Bon, eh bien... je reviens vous chercher dans une heure, et après nous irons...

Zouina n'entend pas la suite. Plus rien n'existe que cette façade où s'inscrit un grand numéro 12, et sur laquelle, les enfants serrés contre sa robe, elle frappe maintenant à petits coups.

– Qui c'est ? fait une voix de femme au bout d'un instant.

– C'est toi, Bouïra ? demande Zouina, haletante.

La porte s'ouvre sur un visage de femme à la peau très mate, aux traits réguliers et fins, un front large, des yeux noirs, des cheveux sombres, attachés en une lourde tresse sur la nuque.

Zouina regarde la femme qui se tient devant elle, se précipite dans ses bras, la serre contre elle. Un sanglot noue sa gorge, au moment où elle blottit sa tête dans son cou.

– Rentrez vite dans la maison ! dit la femme

en se dégageant de l'étreinte de Zouina et en poussant les enfants à l'intérieur.

La porte à peine refermée, Zouina lui saisit les mains, les yeux brillant d'émotion, et l'embrasse de nouveau. Gênée par ces effusions, l'autre dégage ses mains et crie, en direction du couloir :

– Mouloud ! Viens ici !

Un garçon de l'âge de Rachid accourt aussitôt.

– Va avec eux jouer dehors ! ordonne sa mère. Et attention ! Pas de bruit !

Puis, désignant le salon à Zouina :

– Entre, installe-toi.

Il y a plus de perplexité que de vraie cordialité dans sa voix, mais Zouina ne s'en aperçoit pas.

– Je suis Zouina, je viens d'Alger, enfin, presque, s'écrie-t-elle en l'embrassant encore une fois.

– Enlève ton manteau et sois la bienvenue ! Moi, je suis Malika Bouïra, d'Annaba... Metstoi à l'aise, enlève tes chaussures !

Annaba... Non, alors, ce ne sont pas les

Bouïra dont Zouina avait entendu parler, mais peu importe.

Zouina va s'asseoir sur deux matelas superposés qui servent de divan, et enlève ses chaussures qu'elle range à côté d'elle, tout en continuant à fixer Malika d'un regard éperdu. Elle n'ose pas croire qu'elle est enfin là, chez les Bouïra, assise dans la maison de Malika. Qu'elle y est arrivée.

– Je te prépare le thé ! crie Malika de la cuisine.

Zouina s'installe plus à son aise sur le divan, allonge les jambes et regarde autour d'elle. Elle est surprise de constater que la pièce ressemble beaucoup à la sienne, avec son mobilier hétéroclite, ses chaises dépareillées, les cartons rangés contre les murs. Les Bouïra ont-ils l'intention de repartir, ou bien l'exil ne s'installe-t-il jamais que dans du provisoire ?

Partout s'entassent des miniatures. Des sujets en céramique aux tons pastel – vert d'eau, rose tendre – reposent sur des napperons de dentelle, le tout envoloppé dans des emballages de plastique transparent, attendant le départ. Des réveils et des pendules de toutes les tailles sont accrochés sur l'un des murs, mais tous indiquent des heures différentes, comme si le temps avait cessé d'appartenir à ceux qui vivent là.

– Tu viens juste d'arriver, toi aussi ? demande Zouina en désignant les cartons. Moi, ça fait trois semaines, et toi ?

– Arriver ? dit Malika. Quatorze ou quinze, que je suis là !

Elle sort de l'un des cartons une petite boîte qu'elle pose sur la table et dont elle extrait précautionneusement deux tasses.

– Quinze mois, déjà ! s'exclame Zouina, abasourdie.

– Mois ? rugit Malika. Ans ! Quinze ans ! Quinze ans que je suis en France !

Zouina reste interdite. Malika hoche la tête.

– Et où il est, le chef de ta maison ? demande-t-elle d'un ton rempli de suspicion, tout en déposant deux feuilles de menthe fraîche au fond des tasses et en versant l'eau bouillante.

Zouina respire l'odeur de la menthe, écoute le frémissement de l'eau qui bout sur la gazinière ; elle ne répond pas.

Une jeune fille, qui doit avoir au plus quatorze ans, vêtue d'une jupe sombre plissée et d'un chemisier blanc boutonné haut sur le cou et aux poignets, entre dans la pièce. Découvrant Zouina assise sur le canapé, elle lui adresse un grand sourire et va spontanément l'embrasser.

– C'est Zorah... C'est la deuxième..., explique Malika qui ajoute en soupirant : Malheureusement, j'ai eu trois filles !

Puis, d'un ton sec, à Zorah :

– Va chercher le plat et la farine !

Zouina lui adresse un petit sourire complice, mais Zorah détourne les yeux et se dirige vers la cuisine.

– Elle est jolie ! s'exclame Zouina.

– Pour elle, je suis tranquille ! déclare Malika en la surveillant du regard. Son père l'a promise à un cousin. Il boite un peu, le pauvre, mais j'ai quand même de la chance !

Ce n'est pas exactement cela que Zouina voulait entendre, mais il est temps qu'elle s'explique, qu'elle se fasse comprendre.

– Tu sais, Malika, commence-t-elle, juste avant de venir, hier, j'ai fait un rêve : je prenais la lune dans mes bras... Les étoiles descendaient vers moi, je pouvais les toucher... J'en ai mordu une et, tout d'un coup, elles sont toutes tombées... Il s'est mis à faire noir, tout noir...

– Tu as mangé une étoile ?

D'abord incrédule, Malika psalmodie aussitôt un verset : « *La i la Mohamed...* », et conclut, d'une voix grave :

– C'est le signe du malheur !

Zorah dépose sur la table la farine, l'eau et le sucre. Malika se relève, s'approche de la table et, d'un coup d'ongle, ouvre le paquet de farine.

Tandis qu'une pluie de poudre blanche s'écoule dans la bassine, elle ordonne d'une voix sèche :

– L'eau ! Allez !

Zorah verse.

– L'huile ! Doucement ! Le sucre... Arrête !

Zorah s'exécute et, de temps à autre, adresse un timide sourire à Zouina.

– Tu sais, Malika, reprend celle-ci, je suis si heureuse d'être là ! Ça fait trois semaines que je te cherche ! Tu es ma seule lumière, mon seul espoir depuis que je suis arrivée ici !

Les mains de Malika s'agitent dans le plat.

– Mais c'est quand qu'il vient, ton mari ? demande-t-elle.

Zouina se sent prise au piège. Que lui répondre ? Par où commencer ?

Elle se lève, s'approche de la table, prend sa tasse. Le thé brûlant l'apaise un peu. Elle retourne s'asseoir sur le divan.

– Dis-moi, Malika, tu as appris à lire ? demande-t-elle.

– Un peu..., répond Malika en faisant des trous dans la pâte. L'assistante sociale, elle m'a appris à lire. L'alphabétise, elle a dit...

Elle s'arrête de pétrir, regarde Zorah avec fierté et ânonne, en fronçant les sourcils, pour mieux s'appliquer :

– Ba...r, bar... Ba...c, bac, Ba...l, bal...

Soudain, son visage se ferme.

– Le mari, il voulait pas que je continue... Ça sert à rien, il a raison, conclut-elle en remontant une petite mèche qui vient de s'échapper et glisse sur son front.

– Et tu écoutes la radio, des fois ? Les Mille francs ? Ménie Grégoire ?

– La radio ? D'où j'ai le temps d'écouter la

radio ? Je fais le ménage, je prépare le repas, je lave le linge... Et quand j'ai fini, je m'assois, là où tu es, je regarde ce mur, je regarde l'autre... Et j'attends, j'attends...

– Moi, dit Zouina en riant, ça me fait rire, comme elles parlent dans le poste, les Françaises ! Elles parlent de l'amour, de la sexualité.

– Sexualité ! La honte ! s'écrie Malika.

Et, se tournant vers sa fille :

– Allez ! Verse !

Le sourire de Zorah se fige. Elle baisse la tête. Comment savoir ce qu'elle pense ? Elle sait lire, elle. Est-ce qu'elle écoute la radio ?

Par-dessus son épaule gauche, Malika invective l'ange gardien qui incarne le mal de la tentation.

Un lourd silence s'installe, ponctué par les cris des enfants et les borborygmes de la pâte. Zouina balaie l'air devant ses yeux pour tenter de chasser une vision insoutenable : l'image d'Aïcha vient de se superposer à celle de Malika.

– Et quand c'est qu'il arrive, ton mari ? demande à nouveau celle-ci.

– Écoute, Malika, ça fait trois dimanches

que je te cherche, toute seule, avec les enfants... Il ne sait rien, le mari ! Je lui ai rien dit, au mari !

Malika bondit de sa chaise.

– Elle a rien dit au mari ! Mais elle est folle ! rugit-elle en regardant Zouina avec des yeux exorbités. Et tu es venue ici, les bras nus, toute seule ?

Zouina ne sait plus si elle doit s'emporter ou supplier.

– Ça fait des jours et des jours que j'attends de te trouver pour fêter l'Aïd et toi, tu me parles du mari ? Je lui ai caché, au mari, à la belle-mère ! Tu comprends ce que je te dis ?

Les yeux de Zouina se remplissent de larmes.

– Depuis que j'ai su que tu étais ici, je t'ai cherchée, j'étais dans le tunnel de la mort, et je t'ai trouvée, tu es mon salut ! Tu comprends ?

Elle se jette sur Malika, s'accroche à ses bras, qui restent figés dans le plat, immobiles.

– J'ai mal, sanglote Zouina, j'ai perdu le pays, ma mère qui meurt sur le quai, mes sœurs qui pleurent ! Et moi, je suis là, loin, si loin ! Et puis on me dit que tu es là, dans cette ville ! Alors je te cherche... Dans les champs, au cimetière, partout ! Je marche dans la rue, je prends le taxi ! Et aujourd'hui, ça y est, je suis là, garde-moi !

Épuisée, à bout de forces, Zouina se tait. Il y a un court silence, puis Malika se détache sèchement de son étreinte, la repousse de ses mains engluées de farine et ordonne :

– Allez, dehors ! Va-t'en ! Maudit soit le diable qui t'a amenée !

Zouina s'est figée, elle ne respire presque plus, le sang s'est arrêté dans ses veines. Elle ne comprend pas, elle ne comprend plus rien au monde.

Malika s'empare du manteau de l'intruse, ramasse ses chaussures et les jette dans sa direction en hurlant :

– Va-t'en ! Tu veux ma perte ? Je n'ai pas assez de souffrance comme ça ?

Zorah se précipite sur sa mère.

– Maman, maman ! Je t'en supplie ! C'est une amie ! Ne la chasse pas !

Malika écarte sa fille avec violence. Elle frappe sa poitrine de ses deux poings fermés de plus en plus fort, comme si elle voulait la briser.

Elle se frappe encore en poussant Zouina vers la porte.

Chassée, expulsée, maudite, Zouina n'a plus d'espoir. Elle vacille entre ciel et terre et finit par s'écrouler sur le ciment froid du perron.

Elle martèle la porte de ses poings serrés, comme l'autre se meurtrissait la poitrine.

– Malika ! Malika ! Je t'en supplie ! Ouvre-moi ! Ne me laisse pas !

Elle se relève en gémissant, les enfants à ses côtés, fait quelques pas et soudain se précipite de nouveau et cogne, cogne sur la fenêtre de la pièce d'où on l'a chassée.

– Malika ! hurle-t-elle. Pour nos morts ! Ouvre-moi ! Pour l'Aïd ! Malika !

Elle frappe si fort que la vitre vole en éclats. Zouina retire son bras en sang ; les enfants pleurent, crient. Zouina se laisse glisser à terre et gémit plus doucement :

– Malika ! Malika ! Ne m'abandonne pas !

Des grosses gouttes de sang tombent sur le sol. Zouina arrache son foulard et s'en recouvre le bras. Le sang se mêle aux feuilles rouges imprimées, et c'est toute l'étoffe qui s'imprègne d'écarlate.

Personne n'est venu à la fenêtre brisée.

Au loin, Mme Manant agite son gant à la portière du taxi.

Zouina s'est relevée, elle marche à pas lents, dépasse le taxi sans un mot, sans un regard pour son occupante qui crie son nom. Elle marche, la tête haute, ses enfants rassemblés sous ses ailes.

Pour la première fois de sa vie, Zouina occupe tout l'espace de la rue.

Elle marche jusqu'à l'arrêt du bus qui arrive au même instant, relève de nouveau la tête, serre contre elle ses enfants et monte tranquillement les deux petites marches de la transgression.

C'est le chauffeur. Il lui sourit, mais son sourire se fige quand ses yeux se portent sur le foulard rougi de sang.

– Mais vous êtes blessée ! s'exclame-t-il.

– C'est rien, dit Zouina en souriant, elle aussi. C'est pas grave !

De sa main libre, elle cherche le billet qu'elle a caché dans son corsage.

– Non, non, je vous en prie ! proteste le chauffeur. Installez-vous. Restez là, près de moi.

Le moteur du bus à l'arrêt ronronne doucement, et c'est comme un murmure, une confidence.

– Alors, c'est pour aujourd'hui ou pour demain ? s'impatiente un voyageur.

Comme s'il sortait d'un rêve, le chauffeur se lève lentement de son siège et, s'adressant à l'ensemble des passagers, ordonne d'une voix calme, posée :

– Descendez ! Tous ! C'est terminé !

D'abord incrédules, les uns en maugréant, assurant qu'ils porteront plainte, les autres en silence, tous obéissent. Le bus se vide lentement.

– Allez, descendez ! les presse le chauffeur.

Quand le dernier voyageur a mis le pied sur le trottoir, il retourne s'asseoir à sa place et sourit à Zouina qui n'a pas bougé.

– Vous êtes là, près de moi..., murmure-t-il. Vous voir, c'est...

Elle sait ce que c'est. Elle ne peut ni le croire ni l'accepter, mais elle le sait.

Le chauffeur caresse la tête d'Ali, qui part

en courant rejoindre Rachid et Amina qui, comme tous les enfants du monde, sont allés s'asseoir au fond du véhicule.

– Ne bougez pas, je vous en prie ! demande-t-il comme une faveur. Je vais vous ramener chez vous.

Zouina reste debout, sa main libre tenant la barre. Elle n'ignore pas ce qu'elle vient de faire en montant dans ce bus. Elle le sait depuis qu'elle a compris qu'elle pouvait marcher seule et blessée dans la rue. Et elle comprend qu'elle ne pourra plus jamais revenir en arrière.

Le bus démarre, accélère, s'envole à travers les rues de la ville. Zouina parle, sourit, elle n'a pas honte. Le chauffeur parle, lui sourit.

Le bus tourne devant l'épicerie, s'engage dans la rue des Donze, la rue d'Aïcha, la rue d'Ahmed. Lui aussi, comme Zouina tout à l'heure, il occupe tout l'espace.

Quand le bus s'arrête devant chez elle, tous les personnages se sont rassemblés sur ce bout de trottoir pour l'acte final. Il y a d'abord Ahmed, et autour de lui Mme Donze, M. Donze, et l'épicière qui agite le carnet noir.

Nicole fume une cigarette en faisant les cent pas devant la porte de sa maison, juste à côté du taxi qui attend Mme Manant, laquelle se tient debout près de la portière. La tête tatouée d'Aïcha apparaît dans l'entrebâillement de la porte.

Zouina descend lentement du bus en tenant les enfants par la main, et reste debout, de l'autre côté du trottoir.

Tous la regardent, figés de stupeur, comme les mannequins d'un musée de cire. Ahmed ferme nerveusement le col de sa chemise, Mme Manant lève sa main gantée, Mme Donze tient son peignoir serré contre elle, M. Donze pose une main sur l'épaule de sa femme, Nicole tire toujours sur sa cigarette...

Très lentement aussi, le bus redémarre et descend vers la ville.

Bien entendu, c'est Aïcha qui rompt le silence la première.

– Ça fait quatre heures qu'on te cherche ! Maudite sois-tu ! hurle-t-elle.

Zouina sourit. Aïcha ne sait pas qu'elle ne peut plus l'atteindre, elle ignore qu'elle est morte en Zouina.

– Tais-toi ! Ferme ta bouche ! A partir d'aujourd'hui, tu dis plus un mot ! Plus jamais ! Tu la laisses tranquille !

Le sourire de Zouina s'élargit. C'est bien Ahmed qui vient de parler, et c'est bien à Aïcha qu'il s'adresse.

Effondrée, incrédule, celle-ci regarde avec horreur son fils bien-aimé, qui vient de la trahir, de l'assassiner. Dans un gémissement de bête blessée, elle s'écarte de la porte d'entrée par laquelle un énorme mouton s'échappe en bêlant. Il passe entre les jambes de Mme Donze et de celles de son mari. La Donze pousse un cri d'effroi, se signe et se précipite chez elle.

Tous se ruent derrière l'animal en poussant de grands cris. M. Donze, Aïcha, Nicole, Mme Manant, l'épicière, et même le chauffeur de taxi. Il leur faudra plusieurs minutes pour le rattraper – s'ils le rattrapent.

Dans l'instant de calme qui suit, Zouina descend du trottoir, les enfants toujours accrochés à elle.

Ahmed traverse à son tour. Ils se rejoignent au milieu de la rue. Ils sont face à face.

Ahmed la regarde dans les yeux. Il murmure :

– Zouina...

C'est la première fois depuis leur mariage qu'il l'appelle par son prénom. Zouina le regarde et, plongeant les yeux dans les siens, elle dit simplement :

– Demain, les enfants, c'est moi qui vous emmène à l'école !

DU MÊME AUTEUR

Aux Éditions Albin Michel

FEMMES D'ISLAM

MÉMOIRES D'IMMIGRÉS

Imprimé en France
FRHW011509130722
31442FR00012B/70

9 782226 252142